Нина

БЕРБЕРОВА

Nina
BERBEROVA

Alexandre BLOK *et son temps*

Biographie

ACTES SUD

Нина
БЕРБЕРОВА

БЛОК
и его время

Биография

АСТРЕЛЬ
Москва

УДК 821.161.1.09(092)
ББК 83.3(2Рос=Рус)
Б48

Художник *Андрей Рыбаков*

В оформлении переплета использована фотография
М.С. Наппельбаума (агентство ФТМ)

Печатается с разрешения издательства Actes Sud
и литературного агентства Anastasia Lester

Берберова, Нина Николаевна

Б48 Блок и его время : биография / Нина Берберова; перевод с фр. А. Курт, А. Райской. – Москва : Астрель, 2012. – 252, [4] с.

ISBN 978-5-271-42689-6

Прозаик и поэт Нина Берберова (1901–1993) – «первая парижская дама русской литературы», по утверждению издателя-современника. В 1922 году она покинула Россию вместе с В. Ходасевичем, не думая, что навсегда. До 1950 года жила в Париже, после переехала в США, где до конца дней преподавала в Принстоне. Ее знаменитая автобиография «Курсив мой» (1969) стала сенсацией и мировым бестселлером. А беллетризованные биографии композиторов П. Чайковского и А. Бородина, загадочной Марии Бенкендорф-Будберг признаны новым словом в этом жанре.

В книге «Блок и его время», написанной в 1947 году по-французски и для французских читателей Нина Берберова воссоздает жизнь поэта на фоне событий конца XIX – первой четверти XX века.

УДК 821.161.1.09(092)
ББК 83.3(2Рос=Рус)

Подписано в печать 28.10.12. Формат 84x108/32. Усл. печ. л. 13,44 .
Тираж 3 000 экз. Заказ № 7886.

Общероссийский классификатор продукции
ОК-005-93, том 2; 953000 – книги, брошюры

ISBN 978-5-271-42689-6

Мине Журно,

в память о ее неоценимой помощи

О, если б знали, дети, вы,
Холод и мрак грядущих дней!

А. Блок. 27 февраля 1914 года

Глава I

Широкая синяя Нева, до моря рукой подать. Именно река определила решение Петра заложить здесь город. Он дал ему свое имя. Но Нева не всегда бывает синей. Нередко она становится черно-серой, а на шесть месяцев в году замерзает. Весной невский и ладожский лед тает, и огромные льдины несутся к морю. Осенью дует ветер, и туман окутывает город – «самый отвлеченный и умышленный город на всем земном шаре».

«Мне сто раз, – говорил Достоевский, – среди этого тумана, задавалась странная, но навяз-

* Редакция не несет ответственности за фактические неточности, допущенные автором. Все цитаты приводятся в современной орфографии. *(Примеч. пер.)*

чивая греза: “А что, как разлетится этот туман и уйдет кверху, не уйдет ли с ним вместе и весь этот гнилой, склизлый город, подымется с туманом и исчезнет как дым, и останется прежнее финское болото, а посреди его, пожалуй, для красы, бронзовый всадник на жарко дышащем, загнанном коне? <...> Кто-нибудь вдруг проснется, кому это все грезится, – и все вдруг исчезнет...”» И вновь северный горизонт станет голым и ровным, а на опустевших каналах невозмутимый чухонский рыбак будет забрасывать удочку – как в XVII веке, прежде чем Петр затеял весь этот переполох.

Переполоху следовало бы подняться столетием раньше. В ту пору казалось, что новая династия Годуновых поведет Русь по пути всех европейских народов. Да русский народ не пожелал Годуновых, и юный царь Федор – красивый, умный, образованный – был убит. О нем не сложили ни песен, ни сказок. Неизвестно, и где он похоронен. А когда наконец явился Петр, все пришлось начинать сначала.

Он поспевал повсюду, не задумываясь, к чему могли привести его дела и замыслы. Трудился не покладая рук: строил города, прокладывал дороги, создавал флот. Вырастил арапчонка, сироту, освобожденного им из турецкого плена, – будущего прадеда Пушкина. Так что Петр дал России и Петербург, и Пушкина – два неиссякаемых источника русской поэзии.

Летом по широкой – вшестеро шире Сены – синей Неве от Медицинской академии до Академии наук ходил пароход; великий Менделеев, создатель периодической таблицы, ездил на нем в гости к профессору Бородину, известному химику, на досуге сочинявшему оперу «Князь Игорь».

На берегах Невы кипела университетская жизнь. Ни в одной другой столице мира не теснилось вдоль набережных столько научных и учебных заведений: Академия наук, Академия художеств, Медицинская академия, Университет, Историко-филологический институт, Горный институт, Морская академия. Конечно, были в городе и другие, не менее важные кварталы, и другое общество, но они нисколько не занимали ни ботаника Бекетова, ни члена всех европейских академий Бутлерова. Для них главным событием года мог стать приезд в Петербургскую академию гейдельбергского ученого или недавнее открытие, сделанное Пастером в далеком Париже.

В своих уютных просторных квартирах, забитых книгами библиотеках, лабораториях с новейшим оборудованием они упорно трудились во славу молодой российской науки. Их эмансипированные супруги жили собственной напряженной жизнью; обремененные детьми, они успевали читать братьев Гонкуров, переводить Бальзака и Виньи, готовили реформу в женском образовании. Их превосходно воспитанные и образованные дочери ездили за границу, любили Листа и Берлиоза и обожали светское общество: каждую неделю они устраивали танцевальные вечера для отцовских студентов.

На этих вечерах царила непринужденная, веселая обстановка. Пожилые профессора, бородатые и длинноволосые, в долгополых сюртуках, играли в карты. Дамы за самоваром судачили обо всем на свете: о литературе, педагогике, семейной жизни. А молодежь – будущие светочи науки – одни еще неуклюжие, а другие, напротив, чрезвычайно светские, приглашали на вальс барышень с осиными талиями, большей частью уже предпочитавших Шатобриану Стендаля.

Такие приемы устраивали в доме профессора Бекетова – ректора Петербургского университета. Окна просторной квартиры, которую он занимал в помещении университета, выходили на Неву. Зимними вечерами извозчики в засаленных тулупах и заиндевевших высоких шапках хлестали лошадок, подвозивших сюда гостей. Угощение было самое незатейливое: чай с бутербродами. Старшая из профессорских дочек – уже невеста. А третьей, Александре, только исполнилось семнадцать. Подвижная, нервная, шаловливая, далеко не красавица, но наделенная живым умом, сущий бесенок и всеобщая любимица. У нее уже серьезные интересы. Отец, профессор ботаники, и мать, переводчица французских романов, привили ей любовь к подлинным ценностям. Она пишет стихи. У ее изголовья лежат рассказы Доде, а под подушкой – «Воспитание чувств» Флобера. Уже тогда ее манило все необычное – больше, чем мать и сестер. За ней ухаживали, но окружавшие ее молодые люди были для нее только товарищами. Она ждала демона – и он не замедлил явиться.

Молодой юрист, оставленный при университете для подготовки к профессуре, Блок появился в доме Бекетовых зимой 1877 года. Его отец по происхождению был немцем, мать – русская, из старинного помещичьего рода. Этому статному красавцу с печальным взглядом и горькой улыбкой были присущи все пороки конца века. В его порывах чувствовалось что-то «судорожное и странное». Привычка постоянно анализировать свои мысли и поступки сковывала все начинания Блока, постоянно приводя его в смятение. Он обладал обширными познаниями в литературе, истории, философии – недоставало творческого начала, которым наделены лишь истинные таланты. У него была мечта, ставшая наваждением: он растрачивал силы, ища для своих философских и социологических трудов совершенно новые, небывалые «сжатые формы». Ни в чем он не знал середины – лишь крайности привлекали его. Любовь у него напоминала ненависть, отрицая идеалы, он не мог не поклоняться им. Позже у него появятся причуды, настоящие странности. А пока он получил назначение в Варшавский университет – доцентом кафедры государственного права.

Этот человек – умный, противоречивый, ибо холодность в нем уживалась с пылким нравом, прекрасно образованный, превосходный музыкант – произвел на Бекетовых огромное впечатление. Ничто в нем не напоминало их обычных гостей: милых студентов, развлекавших юных девиц, и солидных профессоров, с очаровательной беспечностью сочетавших позитивистские, революционные научные открытия с устаревшими, идеалистическими взглядами на религию и семейную жизнь. Блок же казался «новым человеком».

Обнаружив, что он в нее влюблен, Александра удивилась, но почувствовала себя польщенной. Он просил ее руки – она отказала, полагая, что не сумеет составить счастье подобного человека. Он перестал у них бывать; тогда она ощутила тягостную пустоту. Только теперь поняла она, насколько ей нравились блестящие выпады, ирония, парадоксы, безупречная логика и живой ум молодого Блока. И, когда он появился снова, она поразила его любезным обхождением. Последовало объяснение, затем было объявлено о помолвке, и вот уже любимая дочь, душа всей семьи, покинула отчий дом.

Закрылись широкие окна, за которыми было столько интересного – пароходы, ялики, барки, катера; здесь смешливая баловница кружилась в танце, напевала, словно птичка, радуясь жизни и благодаря за нее Господа. Отец погрузился в свои гербарии, молчал, скрывая тревогу. Мать, старая няня, младшая сестра с нетерпением ждали вестей из Варшавы. Но письма приходили редко и были краткими. Александра счастлива с мужем; она ждала ребенка, но он умер сразу после родов; впрочем, она не теряла надежды иметь детей.

В Варшаве Александра сильно изменилась. Богатое воображение, впечатлительность, неуемная жажда вольной и беспечной жизни не дали ей ужиться с таким тяжелым человеком, каким оказался ее муж – ревнивый, угрюмый, с изменчивым нравом, любивший ее не как жену, а как жертву, оказавшуюся в полной его власти. Долгими вечерами в их квартире в мрачном предместье

Варшавы, отпустив служанку, закрыв окна и двери, он изводил бедняжку, еще не вполне осознавшую, с чем она столкнулась. Нередко он поднимал на нее руку, не позволял ей иметь ни друзей, ни собственного мнения – он желал быть центром ее вселенной. Бывали дни и ночи, когда его страсть, его нежность давали ей передышку, и тогда она вновь проникалась к нему доверием, чувствовала себя счастливой. Но из-за пустяка вспыхивали дикие сцены. И сразу его голос становился громким и угрожающим, взгляд – жестким, он осыпал ее страшными упреками. Им овладевала безумная ярость. В свои восемнадцать лет, в полном одиночестве, с которым она никак не могла свыкнуться, в чужом городе, она чувствовала себя совершенно бессильной перед этим странным человеком, внушавшим ей несказанный ужас. Так, в слезах, протекло два года.

Весной 1880 года они приехали в Петербург. Александра вновь ждала ребенка; ее трудно было узнать.

Блок с блеском защитил магистерскую диссертацию «Государственная власть в европейском обществе». В России он стал первым социологом, писавшим о классовой борьбе.

Бекетовы не пожелали, чтобы Александра ехала с ним; он возражал, но родные не уступали. В Варшаву он вернулся один.

«Вокруг Александра Львовича – дяди Саши, как у нас его называли, – выросло в нашей семье множество сказаний. Встречаться с ним нам, детям, было довольно страшно. Еще до первой из этих встреч я успел подслушать, что он живет где-то очень далеко, в Варшаве, живет совершенно один, в грязной, странно обставленной квартире. От него убежали две жены. Он их бил, а одной даже нож приставлял к горлу. Пробовал будто бы истязать и детей. И детей от него увезли.

В альбоме была его фотография. Он на ней очень красив, повернут в профиль – еще молодой. "Жестокий" взгляд, угрюмо опущенное лицо как нельзя более соответствовали страшным рассказам о Варшаве, одинокой квартире и ноже.

Когда он – впервые на моей памяти – появился у нас, то оказалось, что наружность у него совсем не такая величаво-инфернальная, как я себе представлял. Он был не очень высок, узок в плечах, сгорблен, с жидкими волосами и жидкой бородкой, заикался, а главное – чего я никак не ожидал, – он был робок, совсем как бабушка. Садился в темный уголок, не любил встречаться с посторонними, за столом все больше молчал, а если вставлял словечко, то сразу потом начинал смеяться застенчивым, неестественным, невеселым смехом…

Я был у него в его варшавской квартире. Он сидел на клеенчатом диване за столом. Посоветовал мне не снимать пальто, потому что холодно. Он никогда не топил печей. Не держал постоянной прислуги, а временами нанимал поденщицу, которую называл служанкой. Столовался в плохих "цукернях". Дома только чай пил. Считал почему-то нужным экономить движения и объяснял мне:

– Вот здесь в шкапу стоит сахарница; когда после занятий я перед сном пью чай, я ставлю сюда чернильницу и тем же движением беру сахар, а утром опять одним движением ставлю сахар и беру чернильницу.

Он был неопрятен (я ни у кого не видел таких грязных и рваных манжет), но за умываньем, несмотря на "экономию движений", проводил так много времени, что поставил даже в ванной комнате кресло:

– Я вымою руки, потом посижу и подумаю...»*

* Воспоминания Г.П. Блока. *(Здесь и далее, кроме особо оговоренных случаев, примечания автора.)*

Глава II

16 ноября 1880 года* в Петербурге Александра Андреевна, навсегда расставшись с мужем, родила сына – Александра Блока.

С самого рождения его окружали бабушка, прабабушка, мать, тетки, няня. Безграничное, чрезмерное обожание, чуть ли не культ!

Стоило ему заплакать – и сам профессор Бекетов брал его на руки, прохаживался с ним по всему дому, показывал кораблики на реке. На всю жизнь у него осталась необычайная тяга к кораблям. Дедушка стал его первым другом: с ним они играли в разбойников, переворачивая вверх дном всю квартиру, ходили на прогул-

* Воспоминания Г.П. Блока.

ки, из года в год все более продолжительные. Возвращались голодные, перепачканные, зато с трофеями: какой-нибудь необыкновенной фиалкой или неизвестной разновидностью папоротника.

Раннее развитие и красота мальчика восхищали почтенных профессоров. Менделеев познакомил его со своей дочкой, годом моложе его. На набережных прохожие оборачивались, чтобы полюбоваться прелестными детьми, гулявшими под присмотром нянь.

До чего же он хорош на своей первой фотографии: тонкое личико, большие глаза, светлые кудри и широкий кружевной воротник!

В пять лет он еще был болтливым и тогда же сочинил свои первые стихи:

> Зая серый, зая милый,
> Я тебя люблю.
> Для тебя-то в огороде
> Я капустку и коплю.

И еще:

> Жил на свете котик милый,
> Постоянно был унылый,
> Отчего – никто не знал,
> Котя это не сказал.

Он дружил со всяким зверьем: дворовыми псами, ежами, ящерицами. И не ведал, что такое враг, ведь все окружающие были к нему добры. Но дороже матери он никого не знал.

Тайные узы, соединявшие их, никогда не порвутся. Их взаимная привязанность проявлялась в постоянном беспокойстве, в почти болезненной заботливости. Долгое время мать оставалась его лучшей советчицей и самым близким другом. Именно она – осознанно или нет – привила ему страсть к творчеству. Когда Блоку было девять лет, она, желая дать ему отца, вновь вышла замуж – за офицера Кублицкого.

Нервная, со слабым сердцем женщина, мечтавшая об идеальной любви, так и не обрела счастья. То, чем одарила ее природа, не могло осуществиться. В сыне видела она единственную надежду ускользнуть от небытия. Он стал для нее единственной опорой, способной придать ее жизни смысл. И он всегда возвращался к ней, к своим истокам: ведь благодаря ей он познал в детстве огромное, безоблачное счастье.

Но пока его жизнь состояла из игр, прогулок, волшебных сказок. Все, что было ему дорого, он старался держать под рукой: собачек, парусники, которые он пускал плавать по озеру, клей, картон и бумагу, чтобы переплетать книжки и мастерить кораблики.

Раз в год отец приезжал повидаться с сыном, но им не о чем было разговаривать. К тому же юный Блок становился все более молчаливым: хотели научить его французскому, но он так мало говорил с гувернанткой-француженкой, что пришлось ее уволить.

Привольней всего он себя чувствовал летом, в загородном имении Шахматово. Оно не походило на те «дворянские гнезда», в которых жили великие писатели XIX века. Скромный дом, окруженный густым садом. Профессор Бекетов купил его, потому что неподалеку жил его друг – Менделеев; впоследствии Шахматово перешло по наследству к Блоку. Расположенный на полпути из Петербурга в Москву, в чаще бескрайнего казенного леса, сам дом был еле виден за столетними липами. К озеру вела еловая аллея; повсюду – заросли старых деревьев, кустов жасмина, сирени, шиповника, которые нравились хозяевам больше, чем английский парк. Здесь Блок учился ходить, говорить, читать, любить животных. И здесь он начал сочинять стихи.

Позже он напишет: «С раннего детства я помню постоянно набегавшие на меня лирические волны...»

На вокзал семейство доставляла старая лошадь, которой правил сам Блок. Они возвращались в Петербург, на новую квартиру супругов Кублицких, очень далеко, в казармах лейб-гвардии Гренадерского полка, рядом с Ботаническим садом. Река там поуже, набережные не такие роскошные. Но и тут плавали корабли, работали подъемные краны, на приколе стояли лодки.

Гимназия была недалеко от дома. Начались занятия, вместе с ним учились товарищи, двоюродные братья.

Проходит несколько лет: ему уже четырнадцать, он – главный редактор журнала «Вестник», выходившего в одном экземпляре. Бабушка Блока сочиняет поэмы, а мать – сказки. Дед рисует к ним картинки. Дяди, тети – все принимают участие. В семье только и разговоров, что о литературе, – кузены соперничают, и Блок пишет свои первые стихи: эпиграммы, пародии на темы семейной жизни, чувствительные вирши, по большей части посвященные матери, воспевавшие лунный свет, весну в Шахматове. В общем, ничего особенного.

В шестнадцать лет он открыл для себя театр, и это впечатление перевернуло всю его жизнь. На театральных утренниках он смотрит классические спектакли: Грибоедова, Мольера, Шекспира. Шекспир особенно поразил его неистовством страстей и буйством фантазии. Он хочет играть сам. Где угодно, перед любым, кто готов его слушать, он произносит монологи из «Макбета» и «Гамлета». Решено: он будет актером.

В 1897 году он едет с матерью в Бад-Наугейм, водный курорт в Германии. Александра Андреевна страдает сердечным и нервным заболеванием, впоследствии усилившимся.

Блоку семнадцать: он хорош собой, задумчив, молчалив, в несколько старомодной манере декламирует Майкова и Фета и мечтает сыграть Гамлета на профессиональной сцене; как и большинство его сверстников, он еще немного ребячлив, но уже склонен к фатовству. Ему не свойственны ненасытная любознательность, жажда знаний, обычно присущие юности. Да и впоследствии он не пристрастится к чтению: чужие мысли его не увлекают. Лишь собственные чувства, помыслы, волнения отражены в его творчестве.

Здесь он встретил Ксению Садовскую, замужнюю, очень красивую женщину десятью годами старше его. И здесь, в приятной обстановке светского курортного города, вдали от всех тревог и обязательств, пережил свою первую любовь. Любовь безмятежную, нежную и прекрасную, полную юношеской свежести: память о ней запечатлена в нескольких довольно невыразительных стихах, примечательных разве что своим эклектическим романтизмом.

Влюбленные вновь встретятся в Петербурге; затем свидания становятся все реже и постепенно прекращаются. И все же Блок никогда не сможет забыть это первое пробуждение чувств. Двенадцатью годами позже он напишет:

Эта юность, эта нежность –
Что для нас она была?
Всех стихов моих мятежность
Не она ли создала?

И еще:

Жизнь давно сожжена и рассказана,
Только первая снится любовь,
Как бесценный ларец перевязана
Накрест лентою алой, как кровь.

Глава III

В конце XIX века в России не сложилось ни одной чисто литературной группы, призванной защищать и утверждать новые подходы к творчеству. Великие писатели того времени ни к какой школе не принадлежали. После «Пушкинской плеяды» 1820–1840-х годов русские символисты впервые объединили свои усилия, чтобы создать настоящую литературную школу. Несмотря на все их расхождения, можно говорить о русском символизме как о коллективном создании достаточно схожих по своим установкам поэтов.

Но кто они – великие поэты того времени? Уже не было последнего поэта-романтика Фета, родившегося в 1820 году. Майков – последний классицист – умер в 1897-м. К 1890 году, в эпоху, которую обычно именуют эпохой политической реакции, в русской литературе возобладала примитивная «гражданственность». Она шла вразрез с великой русской поэтической традицией – традицией Пушкина, Тютчева, Лермонтова, – даже подавляла ее. Гоголь оставался непонятым, Достоевского также не понимали и по большей части отвергали. Некрасов (он умер в 1877 году) повел русскую поэзию по этому тупиковому пути: политическая тематика, бунт против режима, любовь к униженным. Некрасов в ту пору занимал первое место: его влияние преобладало над пушкинским. От писателя требовали, чтобы он служил общественным интересам. Романист обязан изображать жизнь своих героев, общественную среду как можно точнее и подробнее, он должен способствовать решению политических и социальных проблем. От поэта ожидали сострадания к «страдающим братьям» или борьбы «за лучшее будущее». К месту и не к месту вспоминали слова Некрасова:

Поэтом можешь ты не быть,
Но гражданином быть обязан.

Это «гражданское» направление в искусстве имело глубокие психологические корни и несомненные нравственные достоинства. К сожалению, его эстетические установки крайне убоги. Русская критика того времени решительно отделяла форму от содержания. Лишь тема делала произведение значительным, к тому же существовали строжайшие запреты. Цензура либеральной критики так же нетерпимо относилась к вере и индивидуализму, как цензура правительственная – к атеизму. Форме придавалось лишь вспомогательное значение. В отношении прозы этот вопрос даже не ставился. От поэзии требовали соблюдения простейших правил стихосложения. Какая бы то ни было усложненность воспринималась как пустое позерство, всякое стремление к формальному совершенству не только не приветствовали – его неизменно обличали как постыдную измену «общему делу», как проявление реакционности.

Тот, кто не желал быть прежде всего «гражданином» и хотел оставаться поэтом, искал прибежища в философии, изобиловавшей заглавными буквами, в цыганщине или в бесплодном подражании классикам. И в те самые годы, когда романы великих русских писателей пользовались всеобщим признанием, когда каждая строчка Толстого становилась событием и Чехов достиг вершины славы, поэзия оскудела.

Глава III

Среди поэтов-философов особенно выделяется Владимир Соловьев. Его исполненные пафоса размышления очень далеки от нас. В равной мере черпавший вдохновение у великих западных религиозных философов, восточных мистиков и гностиков, в Ведах, у Гёте и в Апокалипсисе, он был скорее мыслителем, чем поэтом, и его прозаические произведения значительнее его стихов. Он – единственный представитель своего поколения, обратившийся к предметам, которые его современники не считали насущными.

Рано или поздно должны были возвыситься голоса против ничтожных, унылых идей, против стилистического убожества гражданской поэзии: протест исходил от самих поэтов. Литературе предстояло освободиться от надзора публицистов и вернуть себе независимость. Первым ударил в набат французский символизм: он дал сигнал к восстанию и сочинил для него девиз. Этот девиз подхватили сразу несколько молодых писателей, в основном поэтов, в Москве и Петербурге:

De la musique avant toute chose...*

* Музы́ки прежде всего другого (*фр., перевод Г. Шенгели*). – *Верлен П.* Поэтическое искусство. *(Примеч. пер.)*

Эти слова стали священной заповедью для того, кому суждено было провозгласить возрождение русского стиха и основать школу, которую он, поддавшись первому восторженному порыву, окрестил «русским символизмом». В ту пору этот человек – Валерий Брюсов – был еще гимназистом. Его литературная школа состояла всего из двух или трех юнцов, вместе с ним читавших Верлена, Бодлера, Малларме. Вскоре к Брюсову присоединился Бальмонт: в будущем у обоих появилось немало последователей. Независимо от Москвы, но почти в то же время, литературный переворот наметился и в Петербурге. Начало было положено Зинаидой Гиппиус и Дмитрием Мережковским. Вскоре между Москвой и Петербургом возникла перекличка, нечто вроде взаимного притяжения. Впрочем, следует признать, что полного взаимопонимания так и не получилось. Прежде всего, потому, что ни одна из двух групп еще не выработала ни лозунгов предстоящей борьбы, ни задач, которые ей предстояло решить. Да и самим ниспровергателям они пока не вполне ясны. Очевидно было лишь, кто их общие враги. Объединение москвичей и петербуржцев – скорее тактическое, чем идейное; они не были связаны никаким договором. Впоследствии обеим группам предстояло прожить свой век в литературе, постоянно узнавая друг друга, равно как и самих себя. И, несмотря на вечно сохранявшееся взаимное притяжение, они неизменно стремились к разрыву, то и дело переходя от любви к ненависти, сражаясь друг с другом внутри самого союза, который так никогда и не был расторгнут.

Борьба нередко придает нам «сходство наоборот» с нашими противниками. Зачастую, поступаясь истиной, мы противопоставляем их ошибкам нечто прямо противоположное, настолько, что лишь порождаем новые заблуждения – пусть даже обратные тем, которые стремимся преодолеть, но тем не менее заблуждения.

Литературное направление, царившее до рождения символизма, то самое направление, с которым Брюсов и Бальмонт вступили в борьбу, отделяло форму от содержания, не придавая ей никакого значения. Но в формуле "De la musique avant toute chose" Бальмонт и Брюсов услышали лишь призыв к другой крайности. Только потому, что не умели четко сформулировать то, к чему стремились, они не провозгласили превосходства формы над содержанием. Они желали, чтобы форма перестала быть простым придатком к содержанию; именно работа над формой, настоящий ее культ стали для них основой, главной движущей силой их поэзии. И это произошло тем более естественно, что ни у Бальмонта, ни у Брюсова не было никакой положительной программы, философской, религиозной или общественной. У них имелись лишь литературные убеждения, ограниченные поэтической формой, и сама их поэтическая практика по сути оставалась формальной. Спроси кто-нибудь у Брюсова, чего он желает, – и тот бы с чистой совестью ответил: «Сочинять стихи». – «Но о чем?» – «Мне все равно». В сущности, об этом и говорится в его знаменитых строчках:

Быть может, все в мире лишь средство
Для ярко-певучих стихов,
И ты с беспечального детства
Ищи сочетания слов.

«Поэту»

Недостаток мысли возмещался избытком чувства; именно оно дает поэзии темы, и в результате московские символисты приходят к крайнему индивидуализму, к тому, что сами они называли культом личности.

В их творчестве новая поэтическая форма не была следствием индивидуализма; напротив, сам индивидуализм призван был подпитывать формальную новизну. По словам современника, началась «лихорадочная погоня за эмоциями, безразлично за какими»*. Все, что выпадало на долю поэта, считалось благом, лишь бы удалось пережить побольше новых острых ощущений. Таким образом, личность уподобилась мешку, в который без разбора сваливали все пережитые чувства. И самой богатой и замечательной индивидуальностью обладал, по-видимому, тот, чей мешок оказывался больше. В этой «погоне» растрачивалась, так и не воплотившись в стихах, немалая доля творческой энергии, и мгновения жизни утекали, оставляя в душах пустоту и изнеможение. Этим Гарпагонам чувства суждено было познать глубочайшую душевную пустоту. «Скупые рыцари» московского символизма погибали от внутреннего голода, ревниво охраняя мешки с накопленными сокровищами, их души, «отданные в рост», изнашивались. Впрочем, гибли не только души. Среди последователей этой школы поразительно много самоубийц: учеников и жертв Брюсова! Говорили даже, что сам Брюсов накануне смерти был на грани самоубийства. «На алтарь нашего божества мы бросаем самих себя», – писал он.

В Петербурге поэтическая революция разворачивалась в обратном направлении. Вместо новой

* *Ходасевич В.* Конец Ренаты. В кн.: Некрополь. *(Примеч. пер.)*

формы она предлагала новое содержание. Религиозную тему, которую либеральная критика полагала реакционной и подвергала гонениям, избрал для себя Мережковский. Он связал проблемы истории, политики, общественной жизни, литературы с вопросами веры и Церкви. В его творчестве избитые темы представали в незнакомом обличье: он сумел увидеть их в непривычном свете. Этот необычный взгляд на вещи противопоставил Мережковского, с одной стороны, господствующему направлению в Церкви, а с другой – социальным позитивистам. Разлад продолжался более тридцати лет, зачастую становясь драматическим, к тому же он совпал со «смутным временем» в российской истории. Но следует признать, что Мережковский выделялся среди писателей своего времени обилием идей. Он оказал огромное влияние не только на своих сторонников, но и на противников, равно как и на тех, кто вообще держался в стороне от занимавших его проблем. Он заботился о воспитании критики и читателя, приучая их видеть в русской литературе прежде всего ее глубочайшую, философскую сторону. После знаменитой речи Достоевского о Пушкине именно Мережковский первым обратился к смыслу и пророческому значению русской литературы, указывая пути к новому прочтению Достоевского, Толстого, Гоголя, Лермонтова.

Но вскоре Мережковский-мыслитель совершенно подавляет Мережковского-творца. В его стихах, которые он очень рано бросил писать, – впрочем, как и в романах, – религиозная идея вытесняет стремление к прекрасному. В его романах нет героев – там сталкиваются лишь тезы и антитезы. Насыщенные новыми идеями, романы Мережковского с эстетической точки зрения – программные произведения, подобные тем, которые вызвали появление самого символизма. Несмотря на новизну содержания, форме в них уделено не больше места, чем в творчестве представителей «гражданского направления».

Он жаловался, что произведений искусства слишком много, а критиков недостаточно. Но для истинного художника искусства не может быть слишком много.

Зинаида Гиппиус никогда не была ученицей Мережковского. Ее творчеству присущи самобытные, глубоко индивидуальные черты. Но, придерживаясь схожих убеждений, она всегда оставалась верной его последовательницей. Эта близость объяснялась прежде всего одинаковым отношением к проблемам формы и содержания. Зинаида Гиппиус написала немало прекрасных стихов, следуя лишь природному чутью, направлявшему ее незаметно для нее самой. Но ее рассказы, романы, пьесы по меньшей мере столь же тенденциозны, как и произведения Мережковского. Полемический задор, вызванный потребностью доводить до крайних пределов любое расхождение во мнениях, заводит ее еще дальше. Она предприняла попытку упразднить все художественные средства, превратив их отсутствие в новый художественный прием. В своих статьях она вообще отказывалась касаться формы изучаемого произведения, сурово вопрошая автора: «Како веруеши?»

И москвичи, и петербуржцы унаследовали «первородный грех» своих предшественников: разделение формы и мысли. Первые, забыв об идейной стороне, увлеклись поисками новых форм. Вторые, пренебрегая формой, жаждали идей. Это глубокое различие определило и их творческую позицию. Когда Гиппиус спрашивает Брюсова о его религиозных убеждениях, тот отвечает:

Неколебимой истине
Не верю я давно,
И все моря, все пристани
Люблю, люблю равно.

Хочу, чтоб всюду плавала
Свободная ладья,
И Господа и Дьявола
Хочу прославить я.

«З.Н. Гиппиус»

Глава III

А вот что говорит об этом Бальмонт:

Мне чужды ваши рассуждения:
«Христос», «Антихрист», «Дьявол», «Бог».
Я – нежный иней охлаждения,
Я – ветерка чуть слышный вздох.

«Далеким близким»

Глава IV

Юношеские стихи Блока – безликие, тусклые, зачастую банальные – мало чем примечательны. Его представления о поэзии еще не сложились. В нем лишь зарождалось все то, чему предстояло стать его поэзией, зачатки будущих идей и форм бродили, притягивались, отталкивались, не находя себе места.

Но к 1898 году его захватила одна идея: Вечная Женственность стремится воплотиться в его поэзии не как объект зарождающейся любви, но как смысл и цель мироздания. Именно тогда Блок открыл для себя поэзию Владимира Соловьева, неразрывно связанную с образом Вечной Женственности. Эта поэзия – перегруженная идеями, апокалипсическая, насквозь пронизанная духом второй части «Фауста», велеречивая – безнадежно устарела в наших глазах. Но юного Блока она потрясла; благодаря ей внезапно обрело форму все то, что давно шевелилось в нем.

«Семейные традиции и моя замкнутая жизнь способствовали тому, что ни строки так называемой новой поэзии я не знал до первых курсов университета. Здесь, в связи с острыми мистическими и романическими переживаниями, всем существом моим овладела поэзия Владимира Соловьева. До сих пор мистика, которой был насыщен воздух последних лет старого и первых лет нового века, была мне непонятна; меня тревожили знаки, которые я видел в природе, но все это я считал субъективным и бережно оберегал от всех».

Поэтика Соловьева казалась Блоку несовершенной, и он никогда не был его учеником, но проникся к нему истинным обожанием. Он восхищался притягательной личностью этого человека, с которым его однажды свела судьба, его необыкновенной жизнью.

Но в то время Блок еще верил, что его истинное предназначение – театр. Впрочем, на сцене он не столько играл, сколько декламировал. Он произносил монолог Гамлета, вслушиваясь в звучание стихов, в музыку слов, но не вживался в роль. Друзья хвалили его: их привлекали его красота, изысканность, низкий, теплый тембр голоса, романтический облик и исходящее от него очарование.

Дмитрий Иванович Менделеев, чье имение располагалось неподалеку от Шахматова, частенько навещал Бекетовых. Дед сильно состарился, его разбил паралич. Громовой голос Менделеева – грузного, волосатого, шумного, страшного выдумщика – разносился по всему дому. Как-то раз он пригласил Блока присоединиться к молодежи, заполнявшей его дом. Пяти лет от роду Блок гулял вместе с его старшей дочерью. Она тоже родилась в Петербурге, в здании университета.

Он приехал в Боблово во второй половине летнего дня, верхом. В сапогах, вышитой рубашке, со светлыми развевающимися кудрями и строгим лицом, он производил сильное впечатление. Принимали его Любовь Дмитриевна и mademoiselle (гувернантка). И он всех покорил своей красотой, а особенно уговорами поставить в сенном сарае Лабиша и Шекспира. Только Люба отмалчивалась: она вообще была сдержанна и неприступна. Красивая, высокая, златовласая и сероглазая, румяная и темнобровая, она скорее напоминала Валькирию, чем Офелию. И тем не менее именно в сцене безумия она имела потрясающий успех!

Блок зачастил в Боблово: в нем по-прежнему было что-то от Ивана-царевича, сказочного принца, примчавшегося к своей Даме. Она, юная, гибкая и суровая, расчесывала на солнце свои длинные волосы.

Пророческие строки Соловьева пели в нем:

> Знайте же: Вечная Женственность ныне
> В теле нетленном на землю идет.
>
> *«Das Ewig-Weibliche»*

Обоим поэтам Она являлась лазорево-золотой. И лишь после смерти Соловьева в июле 1900 года Она обретает у Блока черты вечно юной Софии Премудрости. Ante lucem* он ждет ее, полный внутреннего света. Он видит ее – и бурно переживает эту встречу. Затем, post lucem**, он падает ниц, целуя ее следы. (Словами ante lucem помечены стихи, сочиненные перед ежедневными поездками к Менделеевым; post lucem – написанные им по возвращении оттуда.)

Девушка, сказочная принцесса, Премудрость понемногу превращалась у него в Мировую душу, Жену, облеченную в солнце***. Апокалипсис неотъемлем от его жизни. Апокалипсическое

* Перед светом *(лат.)*. *(Примеч. пер.)*

** После света *(лат.)*. *(Примеч. пер.)*

*** Отк. 12:1. *(Примеч. пер.)*

мышление становится выражением присущего ему максимализма. Двадцатью годами позже он напишет о том, чем в ту пору был для него Соловьев: «Вл. Соловьеву судила судьба в течение всей его жизни быть духовным носителем и провозвестником тех событий, которым надлежало развернуться в мире. <...> Каждый из нас чувствует, что конца этих событий еще не видно, что предвидеть его невозможно...»

О своих чувствах он не рассказывает никому, кроме матери – она полностью разделяет его увлечение поэзией Соловьева. Ее двоюродная сестра вышла замуж за брата философа, Михаила Соловьева; мать познакомила с ними Блока. Михаил Соловьев и его жена – люди необычайно умные, тонкие, просвещенные – чутко откликались на все свежее и новое. Их сын Сергей, пятью годами моложе Блока, уже проявляет редкие дарования и обширные познания. С двенадцатилетнего возраста он пишет стихи; родители видят в нем духовного наследника Владимира Соловьева. Детьми они с Блоком вместе играли в шахматовских лесах и однажды отслужили обедню под старыми вязами. Летом 1900 года, встретившись вновь, они беседуют о своих взглядах на поэзию и читают друг другу свои стихи. В то время Блок много сочинял. В толстой тетради с эпиграфом из Пушкина:

Он имел одно виденье,
Непостижное уму, –

записаны первые «Стихи о Прекрасной Даме».

Люба снова была там – в большом крепком доме, построенном Менделеевым, где он по-прежнему ставил свои невероятные опыты. Суровая, гордая, она поджидала Блока, ничем не выдавая нетерпения. За трехсотлетним дубом скрывалось высокое узкое окно, перед которым она заплетала свои длинные косы.

Они все так же увлечены театром и, как никогда, бредят Шекспиром.

Блок облекся в костюм принца Датского, и в его стихах появились берет, перо, бант. В них появилась и Люба в роли Офелии – песенка, которую он для нее переделал, ее венок, ее безумная улыбка.

Позже он признается: «[Мои] лирические стихотворения... с 1897 года можно рассматривать как дневник...»

Так выражалась его любовь к этой серьезной, надменной барышне.

«Помню ночные возвращения [из Боблова] шагом, осыпанные светлячками кусты, темень непроглядную и суровость ко мне Любови Дмитриевны».

Как и Блок, она в открытое окно любовалась зарей нового века; его предвещали летние бури, лесные пожары, пролетавшая комета, звездопады в начале осени.

Следующей зимой он посвятит ей много стихов. Он встретил ее в театре. Салвини играл короля Лира – Шекспир, несомненно, благоприятствовал их встречам. Он изменился, вырос, теперь он много читал, стал немногословным. Временами возвращался призрак прошлой любви – иногда он виделся с Ксенией. Но мечтал покончить с этой историей. Спустя двадцать лет он напишет: «*Она* продолжает медленно принимать неземные черты».

Январь 1901. С этого времени в течение трех лет Блок совершенно поглощен мистикой, любовью, поэзией. Поэт в расцвете сил, он обретает уверенность; его творчество совершенствуется, становится мощным и цельным; рождаются изумительные «Стихи о Прекрасной Даме». И созданное Блоком в эти три года останется в русской литературе непревзойденным образцом чистоты, возвышенности, очарования. «25 января – гуляние на Монетном к вечеру в совершенно *особом* состоянии. В конце января и начале февраля... явно является Она. Живая же оказывается Душой Мира (как определилось впоследствии), разлученной, плененной и тоскующей... мне же дано только смотреть и благословлять...»

В таком состоянии он встретил Любовь Дмитриевну. Она шла на курсы; он пошел за ней. На улицах Васильевского острова он не спускал с нее глаз. На следующий день он опять последовал за ней. Позже «началось хождение около островов и в поле за Старой Деревней», у устья реки. Солнце опускалось в море; небо было красным; стояли короткие, светлые ночи. Там он бродил до рассвета, пытаясь прочесть знаки неба и земли.

«В том же мае я впервые попробовал “внутреннюю броню” – ограждать себя “тайным ведением” от Ее суровости... Это, по-видимому, было преддверием будущего “колдовства”, так же как необычайное слияние с природой.

Началось то, что “влюбленность” стала меньше призвания более высокого, но объектом того и другого было одно и то же лицо. В первом же стихотворении шахматовском это лицо приняло странный образ “Российской Венеры”. Потом следуют необыкновенно важные “ворожбы” и “предчувствие изменения облика”».

«Сентябрь... Любовь Дмитриевна уже опять как бы ничего не проявляла. В октябре начались новые приступы отчаянья...»

«К ноябрю началось явное мое *колдовство,* ибо я *вызывал двойников...»*

«...Толпой... я увлечен на *обожанье красоты...»*

«*Я* встретил ее здесь, и ее земной образ, совершенно ничем не дисгармонирующий с неземным, вызвал во мне ту бурю *торжества,* которая заставила меня признать, что ее *легкая тень принесла свои благие исцеления* моей *душе, полной зла* и близкой *к могиле*».

«Ее образ, представший передо мной в том окружении, которое я признавал имеющим значение *не случайное,* вызвал во мне, вероятно, не только *торжество пророчественное,* но и человеческую влюбленность, которую я, может быть, проявил в каком-нибудь слове или взгляде, очевидно вызвавшем новое проявление ее суровости».

«Тут же закаты брезжат видениями, исторгающими *слезы, огонь* и *песню,* но кто-то нашептывает, что я вернусь некогда на то же поле другим – *потухшим, измененным злыми законами времени,* с *песней наудачу* (т. е. поэтом и человеком, а не провидцем и обладателем тайны)».

Блок прекрасно ориентируется среди идей Оригена, Соловьева, Платона: они вселяют в него веру, которую он подолгу обсуждает с матерью, понимавшей его как никто. В конце лета, исполненного любви и поэзии, они вместе возвращаются в Петербург. В поезде встречают отца Сергея Соловьева, Михаила Сергеевича, которому Александра Андреевна посылала стихи сына. От него-то Блок и услышал, что его стихи произвели необыкновенное впечатление на Бориса Бугаева, молодого московского поэта и друга Сергея.

Глава V

Сын известного ученого, декана физико-математического факультета, жил в Москве; здесь он родился в 1880 году (они с Блоком были ровесниками). Начиная с 1897 года он знал, что в Петербурге у его друга и соседа по дому Сережи Соловьева есть двоюродный брат, который пишет стихи. Ему также было известно, что этот юноша без ума от Шекспира и мечтает о сцене. О Блоке ему рассказала Ольга Соловьева – женщина замечательная, художница, музыкантша, переводчица Рёскина и Уайльда. Благодаря ей он также познакомился с поэзией Малларме и Верлена. И у нее в доме он встретил, незадолго до его кончины, Владимира Соловьева. Ольга Михайловна постоянно переписывалась с Зинаидой

Гиппиус. В ее салоне были восторженно приняты первые стихи Брюсова и Бальмонта; каждая книга Мережковского становилась событием и вызывала горячие споры.

Бугаева ввел в этот салон его друг Сергей, которому в ту пору исполнилось двенадцать. Здесь ему открылся новый мир. Здесь читали Бена Джонсона и Ницше; о Пушкине и Тютчеве говорили так, как нигде в России.

Когда в 1922 году Андрей Белый опубликует свои замечательные воспоминания о Блоке, годы 1899–1901 он назовет годами «зорь».

«...До 1898 года дул северный ветер под сереньким небом. "Под северным небом" – заглавие книги Бальмонта; оно отражает кончавшийся XIX век; в 1898 году – подул иной ветер; почувствовали столкновенье ветров: северного и южного; и при смешенье ветров образовались туманы: туманы сознания. В 1900–1901 годах очистилась атмосфера; под южным ласкающим небом начала XX века увидели мы все предметы иными...»

Первый томик стихов Белого назывался «Золото в лазури». «Будем как солнце!» – писал Бальмонт, а у Блока: «И – зори, зори, зори».

Шопенгауэр и Ибсен уже вызывали ожесточенный протест. Молодые поэты – Сергей Соловьев и Андрей Белый – «переживали... разрыв времени... в естественных перемещениях сознания». «И подступал Достоевский – все ближе», а «Рождение трагедии из духа музыки» Ницше становилось новым Евангелием.

«И старое отделилось от нового», словно вода и земная твердь при сотворении мира. Все предстояло воссоздавать заново, «пессимизм стал трагизмом», а «времена сократического человека прошли».

Новых людей, тех, что узнавали друг друга с первого взгляда, а иной раз «тяготели друг к другу» даже не будучи знакомы, в Москве больше, чем в Петербурге. Эти «братья зари» прозревали знаки, предвосхищавшие Свет, и в крупных событиях, потрясавших мир, и в мелочах повседневности. Словно в «безмолвие» уходящего века вторглись «поступи» века нового. «Созерцание переходит в горячку искания», а символ «Жены, облеченной в солнце», сочетается с практической мудростью гностиков.

В 1901 году узкая тропинка, ведущая на кладбище, где был похоронен Владимир Соловьев, становится для Сергея и Андрея Белого дорогой к «Чистилищу» и «Вдохновению», а Мировая душа ищет своего воплощения в одной из бесчисленных московских барышень. То один, то другой надевает крылатку любимого философа; и оба бродят по заснеженным улицам, натыкаясь на призрак Соловьева. Они искали его следы и в Дедове, имении Сережиных родителей, где жива была память о покойном. Ольга Михайловна и Михаил Сергеевич Соловьевы поощряли молодых людей. Для Бугаева, студента-математика, выбрали псевдоним Андрей Белый, дабы не запятнать почтенное имя его отца-декана.

В ту пору Блок был «единственным выразителем наших дум: дум священных годов», – позднее напишет Белый. Блок жил в десяти километрах от Дедова и ни о чем не подозревал.

В 1901 году Белый делает свои первые шаги в литературных кругах Москвы и Петербурга; он встречается с Мережковским, Гиппиус, Брюсовым и Бальмонтом. Вокруг Сергея Соловьева и Андрея Белого образовался кружок «аргонавтов». Для его участников символизм был не просто литературной школой, а образом мысли и самой жизни. К несчастью, среди них не нашлось истинного таланта, крупного поэта: то были скорее теоретики, пылкие ораторы, очертя голову бросавшиеся в яростные споры.

Летом 1901 года, исполненным идей и борьбы, Белый получил очень важное письмо от Сергея Соловьева, проводившего каникулы в родительском имении: он возобновил знакомство с Александром Блоком, своим двоюродным братом; как и они, тот увлечен Соловьевым, «совершенно конкретно относится к теме Софии Премудрости», видит в Ней близкую, любимую женщину; в нем, как и в них, есть «религиозно-мистическое электричество».

Для Белого это письмо стало событием. И когда осенью Сергей приехал в Москву, Белый вырвал у него с десяток блоковских стихов. Все, что «аргонавты» чувствовали, но не умели выразить, все, чем была напитана «розово-золотая... атмосфера эпохи», – все вычитал он в этих строчках! Все запечатлел Блок в своих стихах. Он нашел свою «темного хаоса светлую дочь»* и звал их вместе с ним преклонить перед нею колени.

Для Блока она действительно была живой – и с недавних пор его невестой. «Стихи о Прекрасной Даме» (их больше восьмисот) еще не все были опубликованы. Но, как и желал Блок, они читаются как личный дневник: вот она на берегу озера, у окна, на углу улицы. Ее красота, чистота, гордость уже знакомы читателям. Но кто она? На следующий год Сергей Соловьев раскроет тайну «аргонавтам»: это Любовь Дмитриевна, дочь Менделеева, прекрасная недотрога. Участники «секты» немедленно завладеют ею: «Она среди нас!» – возопят они. Но Блок слишком поглощен любовью и творчеством, чтобы

* В. Соловьев. ***(Примеч. пер.)***

принимать всерьез «секту», наставником которой он невольно стал.

Начало 1903 года ознаменовалось трагедией. Михаил Сергеевич Соловьев, тонкий и чуткий человек, который поощрял «аргонавтов» и первым познакомил их с поэзией Блока, внезапно умер; спустя полчаса его жена, которой Белый и многие другие стольким были обязаны, застрелилась. В восемнадцать лет Сергей осиротел.

Именно тогда и произошло удивительное совпадение: в тот самый день, когда Блок впервые написал Белому, тот отправил ему свое первое письмо – так познакомились два крупнейших поэта того времени.

В Москве и Петербурге стихи Блока уже известны. В марте 1903 года они одновременно появились в брюсовском альманахе «Северные цветы» и в «Новом пути», которым руководил Мережковский. Поэта могла оценить более широкая публика. Но критики к нему суровы: они насмехаются над «Прекрасной Дамой» и ничего не смыслят в «зорях». Обывательскому уму все это представляется сумбурным и напыщенным: Блока, Бальмонта и Мережковского определяют одним словом – декаденты.

Свадьба уже не за горами: отец прислал тысячу рублей. Это немного. Столько всего надо купить – мебель, одежду, кольца. Во всем ему помогала мать. Венчание произвело на Блока неизгладимое впечатление. Александра Андреевна и старик Менделеев плакали от волнения и радости. Новобрачная в белоснежном батистовом платье и притихший, сосредоточенный Блок вышли из церкви. Их поджидала тройка; на козлах – кучер в ярко-розовой рубахе, в шапке, украшенной пером. Крестьяне пели хором, подносили им белых гусей, хлеб-соль. Сергей Соловьев, шафер невесты, потом всегда вспоминал этот радостный день.

Прекрасная Дама, чьи следы поэт так часто искал на городских улицах, стала его женой. Он – студент-филолог университета, она учится на историко-филологическом факультете Высших женских курсов.

Глава VI

Блок и Белый появились в переломный для русского символизма момент. «Так символически ныне расколот, – писал Белый, – в русской литературе между правдою личности, забронированной в форму, и правдой народной, забронированной в проповедь, – русский символизм, еще недавно единый.

Мережковский – весь искра, весь – огонь; но направление, в котором он идет, за пределами литературы; литература все еще форма. А Мережковский не хочет искусства: он предъявляет к ней требования, которые она как форма не может выполнить. <...> Брюсов – весь блеск, весь – ледяная, золотая вершина: лед его творчества обжигает нас, и мы даже не знаем – огонь он или лед: но творчество его не говорит вовсе о том, как нам быть»*. Литературные взгляды Брюсова и Мережковского казались Блоку и Белому противоположными полюсами. Им же нужно было найти некий синтез, выход из внутреннего кризиса. Их не устраивало ни внешнее примирение двух крайностей, ни примитивный компромисс. К задаче нерасчленимости формы и содержания они подошли (и решили ее) изнутри. Мистическое видение мира, присущее Блоку и Андрею Белому, определило пути их художественных поисков и самой их концепции символизма.

Обратившись к создателям традиции золотого века русской поэзии – в этом они продолжили линию Соловьева и Мережковского, – первопроходцы нового символизма обнаружили в творчестве классиков новые доказательства двойственности человеческого духа; доказательства его двойного существования – во времени и в вечности. Эту двойственность лучше всего выразил Тютчев:

> О вещая душа моя!
> О, сердце, полное тревоги,
> О, как ты бьешься на пороге
> Как бы двойного бытия!..

* *Белый А.* Настоящее и будущее русской литературы. В кн.: Луг зеленый, 1907. ***(Примеч. пер.)***

Подобные признания звучали и до Тютчева: мы слышим их также в лермонтовском «Ангеле», в желании Пушкина понять невнятный язык ночи. Можно сказать, что усилия подобной провидческой памяти представляют собой глубочайшую и чистейшую основу русской поэзии. И в то же время поэты неизменно стремились не просто припомнить это нездешнее бытие, но и соприкоснуться с ним вновь. Уподобляя себя ласточке, которая спускается к пруду, едва не задевая крылом водную гладь, Фет размышляет:

> Не так ли я, сосуд скудельный,
> Дерзаю на запретный путь,
> Стихии чуждой, запредельной
> Стремясь хоть каплю зачерпнуть?
>
> *«Ласточки»*

Для поэта, вписывающегося в великую поэтическую традицию, этот «запретный путь» всегда оставался самым желанным и даже, возможно, единственно привлекательным. Ведь «стихия запредельная» – это природная стихия русской поэзии, вечно ускользающая и вечно преследуемая цель; стремление бесконечно продолжать эти поиски – само по себе ценнейшее достояние русской поэзии.

Но в чем состоит и где находится эта «запредельная стихия»? Она нигде и повсюду, в нас и вне нас; она совсем рядом, но нам никогда не удастся ее настичь. Все окружающее нас вечно напоминает о ней; во всем – ее отражение, ее отголоски.

“Alles Vergängliche ist nur ein Gleichnis”* – эти слова из «Фауста» Гёте всегда были внятны русской поэзии, словно бы порождены ею. Они и послужили отправной точкой для поисков младшего поколения символистов.

Милый друг, иль ты не видишь,
Что все видимое нами –
Только отблеск, только тени
От незримого очами? –

вопрошал их духовный наставник Владимир Соловьев. Различить нетленное в преходящем, вечное во временном, сокровенное в зримом – вот что младшие символисты полагали истинной задачей всякого искусства.

Чтобы решить эту задачу, нужно было заново открыть при помощи интуиции и усвоить разумом преходящее, обычно познаваемое при помощи чувств. С этой точки зрения художествен-

* «Все преходящее – лишь символ» *(нем.)*.

ное творчество преображает действительность. Искусство – не только претворение хаоса в космос, но и постоянное, нескончаемое превращение.

Временная реальность предстает нам и может быть познана нами как череда образов. Воспринимая ее, художник преобразует ее в цепочку символов. Символ – это образ, но измененный и как бы озаренный жизненным опытом. Он принадлежит форме постольку, поскольку остается образом; но в то же самое время он и сущность – в той мере, в какой через него открывается путь к познанию того, что скрыто за поверхностью вещей. Самим своим рождением символ одновременно порождает неотделимую от него сущность. В подлинном искусстве форма неотделима от содержания; она и есть содержание. Неслучайно именно Андрей Белый первым стал серьезно изучать особенности русской ритмики. Обнаружив ритмическое разнообразие в разработке одного и того же метра у разных поэтов, он открыл прямую связь между ритмической развязкой стихотворения и его внутренним развитием. Для Белого в произведении искусства заключена двойственность: его видимая, внешняя сторона и внутренняя, скрытая:

«...Символизм современного искусства не отрицает реализма, как не отрицает он ни романтизма, ни классицизма. Он только подчеркивает, что реализм, романтизм и классицизм – тройственное проявление единого принципа творчества. В этом смысле всякое произведение искусства символично»*.

«Всякое искусство символично – настоящее, прошлое, будущее. В чем же заключается смысл современного нам символизма? Что нового он нам дал?

Ничего.

Школа символистов лишь сводит к единству декларации художников и поэтов о том, что смысл красоты в художественном образе, а не в одной только эмоции, которую возбуждает в нас образ; и вовсе не в рассудочном истолковании этого образа; символ неразложим ни в эмоциях, ни в дискурсивных понятиях; он есть то, что он есть. Школа символистов раздвинула рамки наших представлений о художественном творчестве; она показала, что канон красоты не есть только академический канон; этим каноном не может быть канон только романтизма, или только классицизма, или только реализма; но то, другое и третье течение она оправдала, как разные виды единого творчества...»**

* *Белый А.* На перевале. В кн.: Арабески, 1911. ***(Примеч. пер.)***

** *Белый А.* В кн.: Символизм, 1909. ***(Примеч. пер.)***

Глава VII

В Москве Блока ждали. «Аргонавты» разносили стихи, и хотя Брюсов, тогдашний властитель дум, был настроен враждебно, Белый чувствовал, что пришло время представить Блока московской публике.

Слава Бальмонта, блестяще начинавшего десять лет назад, клонилась к закату. Брюсов был общепризнанным Мэтром. Для него, высокомерного, демонического, гордого своим шумным успехом, это были лучшие годы: женщины, друзья, враги, соперники, последователи! Журналы, кружки, издательства – вокруг него вращалась вся литературная жизнь. Он не разглядел в Блоке великого поэта, которому суждено было затмить его славу, – настолько, что для будущих поколений он будет представлять лишь исторический интерес. Пока же он ощущает себя кумиром, лидером русской поэзии, и ему не по душе вольное поведение «аргонавтов», в особенности Белого: тот стал чересчур громким, выступал на всех собраниях, печатал стихи, язвительные статьи, за которые благонамеренная пресса обрушивала на него потоки проклятий, тем самым привлекая к нему излишнее внимание.

После первого обмена письмами переписка Блока с Белым не прекращалась. В ней отражались все перемены в душевном состоянии Блока: в течение года тон ее то и дело менялся. Завязалась она в самую светлую пору его жизни, когда он был еще переполнен Соловьевым. Тогда он больше рассуждал о Деве Радужных Ворот, чем о Любови Дмитриевне. Белый гадал: кто такая Любовь Дмитриевна? «Коль Беатриче – на Беатриче не женятся; коли девушка просто, то свадьба на "девушке просто" – измена пути». Сергей Соловьев утверждал, что Любовь Дмитриевна осознает свою двойственность и что, раз Менделеев «темный Хаос», она и в самом деле его «светлая дочь»!

К концу 1903 года Белый начал уставать от «аргонавтов», от всей этой шумной и пустой суеты, отвлекавшей его от дела. Он без конца говорил, бывал повсюду, но у него почти не оставалось времени, чтобы писать стихи. Иногда он сравнивал себя с героем комедии Грибоедова, ничтожным Репетиловым, который на вопрос, что же он делает, отвечал: «Шумим, братец, шумим!»

По временам он давал себе передышку и вновь обретал душевную гармонию. Но вскоре его вновь увлекал вихрь литературной жизни: знакомства, громкие публичные выступления. И в душу закрадывалось беспокойство, острое сожаление: он чувствовал, что времена «зорь» уходили все дальше в прошлое...

Для Блока эта дивная, таинственная пора тоже осталась позади. После женитьбы тон его писем меняется. Он много занимается в университете, много пишет; жизнь стала проще, легче. Он был счастлив. По крайней мере, он этого желал.

Блок разделял все пороки своего времени. Он и сам это понимал. Подростком он болезненно переживал глубокое отчаяние, терзавшее его современников подобно гнетущей скуке, от которой страдали чеховские герои. Это не просто один из ликов его романтизма – отчаяние разлито в воздухе, а Блок, как и Пушкин, неотделим от своей эпохи. Более поздние стихи, в которых он говорит о своей отчизне, предвидит будущее России, борется с предчувствием ее гибели, доказывают, насколько сильно он *вжился* в свое время. Он носил в себе щемящую тоску, безграничную тревогу, смутное беспокойство: счастливые дни смягчали, приглушали боль, но она никогда не уходила. Первые годы жизни с Любой – 1903–1904, – когда суровая богиня снизошла к нему, стали самыми счастливыми для Блока. Но была ли она действительно его женой? Одно лишь предположение – а оно существует, – что брак их остался фиктивным, омрачает эту «счастливую» пору его жизни.

Но когда в январе 1904 года, через полгода после свадьбы, они приехали в Москву, всем они казались дружной парой и вызывали общее восхищение. Изящная юная дама и кудрявый молодой человек с «крепко стянутой талией» позвонили в дверь квартиры, где жил Белый с матерью. Истинный петербуржец, светский, несколько заторможенный, Блок был введен в гостиную, где, ненужно суетясь, подпрыгивая, весь изгибаясь, то вырастая, то на глазах уменьшаясь, их шумно приветствовал Белый. В тот же вечер Блока, облаченного в длинный сюртук и белые перчатки, и Любу в вечернем платье тепло приняли Сергей Соловьев и «аргонавты». Брюсов и его окружение с любопытством разглядывали Блока. Его буквально разрывали на части; интерес к нему был велик, и никто не думал этого скрывать. Люди здесь вели себя совсем иначе, чем на берегах ледяной Невы.

После целого года постоянной переписки, двух лет, в течение которых они обменивались стихами, Белый сразу же стал ближайшим другом Блока, его духовным братом. Вместе с Сергеем образовался «треугольник»: все они увлекались идеями Соловьева, любили современную поэзию и благоговели перед Любовью Дмитриевной. «Аргонавты» видели в ней Мировую душу. Белый дарил ей розы, Сергей – лилии. Блок улыбался – тихо и чуточку смущенно. Весело обедали, читали стихи, провозглашали Блока первым поэтом своего времени. Белый с Сергеем чуть ли не готовились объявить «первый вселенский собор» соловьевской церкви. Между тем Люба уже ощущает некоторую неловкость. Отношение к ней окружающих больше напоминает поклонение инока Мадонне, чем преклонение рыцаря перед дамой.

Блок ежедневно пишет матери, сообщая ей обо всех событиях своей московской жизни.

«11-е (января) – *воскресенье*. Пробуждение в полдень от криков Сережи. Мы идем вдвоем с Любой к Соколовым. <...> К трем часам еду к Бугаеву... Выхожу к менделеевскому обеду из дому Бугаева: за спиной – красная заря, остающаяся на встречных куполах. <...> Возвратясь домой, едем к А. Белому *на собрание:* Бальмонт, Брюсов, Батюшков... Мой разговор с Брюсовым. Бальмонт читает стихотворение "Вода". Я читаю стихотворение "Фабрика" и "Три лучика". Брюсов без дам читает два стихотворения – "Белый всадник" и "Приходи путем знакомым". Еще важнее "Urbi et orbi"! После ухода Бальмонта, Брюсова, Соколовой – мы с Андреем Белым читаем массу стихов... Андрей Белый неподражаем (!). Я читаю "Встала в сияньи". Кучка людей в черных сюртуках ахают, вскакивают со стульев. Кричат, что я первый в России поэт».

Взволнованный «треугольник» едет в Новодевичий монастырь поклониться могиле Владимира Соловьева. «Полнеба страшное – лиловое. Зеленая звезда, рогатый месяц». Они увлеченно беседуют: «знаменательный разговор – тяжеловажный и прекрасный»; естественно, речь заходит о Любе.

Блок уже известен и любим, его печатают молодые журналы. С издательством «Гриф» подписан договор, там выйдет первый его стихотворный сборник.

Демон, «маг» Брюсов его пленяет. Для Блока нет ничего выше и прекрасней "Urbi et orbi". Это – новое слово. Никто прежде не доводил русский стих до такой степени «модернизма». У Брюсова он звучный, как у Верхарна, свободный, как у Уитмена, демоничный, как у Эдгара По, порочный, как у Д'Аннунцио, утонченный, как у Малларме, чувственный, как у Бодлера. Десятью годами позже все это рухнет, рассыплется: все эти влияния, словно костюмы с чужого плеча, станут ему в тягость.

Но в начале века кто мог сравниться с Брюсовым? Бальмонт быстро спивался; слава его стремительно меркла. Сологуб, хотя и был старше Блока, только начинал писать. Зинаида Гиппиус – крупный поэт, но она слишком поглощена своими философскими, богословскими и политическими увлечениями. Вячеслава Иванова тогда не было в России, он еще учился за границей. А Мережковский окончательно забросил поэзию ради романов и философских очерков. Брюсов же был рядом и всеми признан.

«Начал тебе писать ночью, вне себя от "Urbi et orbi". <...> Скоро сам напишу стихи, которые все окажутся дубликатом Брюсова», – писал Блок Сергею Соловьеву. Очарование длилось год, затем внезапно исчезло:

«Почему ты придаешь такое значение Брюсову? <...> "Что прошло, то прошло". Год минул как раз с тех пор, как "Urbi et orbi" начала нас всех раздирать пополам. Но... раны залечиваются. <...> Мне искренне кажется, что "Орфей" и “Медея” далеко уступают “Urbi et orbi”. <...> Много перепетого у самого себя».

Вернувшись в Петербург, Блок болезненно ощутил, как холоден этот город. Он скучал по Москве, где «цвел сердцем» Белый. «Стихи о Прекрасной Даме» были закончены, и свершалось то, что Блок смутно предчувствовал в 1902-м, чего он боялся; никто еще не ведал об этом, он сам едва это почувствовал, но облик Ее изменился:

Но страшно мне: изменишь облик Ты!

«Предчувствую Тебя.
Года проходят мимо...»

Последние несколько лет Блок жил мистикой, романтической поэзией, которые неотрывно связаны с Нею. Ныне они исчерпаны. И в то время, когда в издательстве «Гриф» выходят «Стихи о Прекрасной Даме», Блок переживает внутренний переворот.

В этой чистой поэзии нет и следа столь дорогого Брюсову «модернизма». «Рыцарь бедный», тот, что «стальной решетки... с лица не подымал», влюбленный инок в темном храме, Блок в этой книге куда ближе к английским и немецким романтикам, к русским сказкам, чем к новой западной поэзии. Форма необычна, мелодичный и гибкий стих прекрасно передает все оттенки чувства. Нередко ударные слоги заменены пиррихиями, которые Фет и Тютчев лишь робко пробовали. Рифмы пока еще точные: лишь через несколько лет наступит пора патетических ассонансов.

Русские поэты не оказали явного влияния на его поэзию, за исключением, пожалуй, Фета, наложившего легкий отпечаток на ранние стихи Блока, и Соловьева, чей вклад куда значительнее, но начиная с 1905 года уже совершенно неощутим. Лишь много позже скажется сильнейшее впечатление от чтения Бодлера, Ницше, Стриндберга. Его постоянными спутниками становятся Лермонтов и Тютчев – вплоть до того дня, когда он откроет для себя Аполлона Григорьева, с которым была хорошо знакома его бабушка: он станет его любимым поэтом. Блок воскресит память об этом поэте, умершем в 1864 году; горемычном пьянице, непризнанном, забытом, который научит его любить цыган, гитару, народные романсы (их называли жестокими).

«Стихи о Прекрасной Даме» могут быть прочитаны как история любви. Незадолго до смерти Блок задумал издать их, «воспользовавшись приемом Данте, который он избрал, когда писал "Новую жизнь": "В последний из этих дней случилось, что эта дивная Донна явилась мне облаченной в белоснежный цвет... и, проходя по улице, она обратила очи в ту сторону, где я стоял...”»*. «Пробелы между строками» он собирался заполнить «простым объяснением событий».

Нам известно теперь, что «пять изгибов» – пять улиц Васильевского острова, по которым проходила его Дама, а в стихах «Каждый конек на узорной резьбе / Красное пламя бросает к тебе» описано ее высокое окно в бобловском доме. Быть может, всего этого уже не существует, но «Стихи о Прекрасной Даме» вечно пребудут одним из самых совершенных творений русской поэзии.

* Перевод А. Эфроса. *(Примеч. пер.)*

Глава VIII

Белый и Сергей Соловьев приехали в Шахматово летом 1904 года.
Гостеприимство Александры Андреевны, красивые места, старый дом в саду, полном цветов, мирная, упоительная жизнь, над которой царила Любовь Дмитриевна, молчаливая, но уверенная в себе и уже принимавшая как должное поклонение, которым окружали ее друзья мужа, – все это совершенно очаровало молодых людей.

Молодые жили дружно, разлад их еще не коснулся. Блок больше не вспоминал ни Софию Премудрость, ни «зори». Эта светлая пора миновала. Но Андрей Белый бестактно и назойливо пытался воскресить былое. Возможно, так было бы лучше: забыть о мрачном настоящем и помнить лишь прекрасное прошлое!

«Секта» все еще существовала. Придумали даже историка XXII века, некого профессора Лапана, который станет ее биографом.

И по-прежнему в малейших Любиных поступках они усматривали пророческий смысл. Была ли она сегодня в красном? Из этого немедленно делались всевозможные выводы. Переменила прическу? И в этом они видели «знак». Блок лишь улыбался. В том, что он писал тогда, нет и следа ревности. Были ли они все влюблены в его жену? Что касается Сергея, тут сомневаться не приходится: он вынимал из оклада икону Богоматери и ставил на ее место фотографию Любови Дмитриевны. Но у Белого все было куда серьезней: Люба стала единственной женщиной в его жизни, которую он действительно любил.

В увитой розами пристройке к старому дому Блок с женой сидели по утрам. После обеда прогуливались. По вечерам на террасе разгорались жаркие споры. Люба хранила молчание. Блок, от природы немногословный, позволял высказаться другим. В эти несколько недель они с Белым сдружились еще больше: это братство пройдет сквозь все их грядущие разногласия. По старинному обычаю они обменялись рубашками, и Белый расхаживал в расшитой лебедями красивой сорочке, которую Люба вышила для мужа. Расходились поздно. Люба и Блок шли спать в розовый флигель. Гости не могли заснуть: они прогуливались и все что-то обсуждали.

Белый отличался редкой непосредственностью. Просто и трезво он признается в собственных грехах и воздает должное Блоку. Он сознает свою главную слабость: неспособность сделать окончательный выбор, неумение сказать да или нет. Этот сильный, неутомимый человек, прирожденный оратор с диалектическим складом ума всегда прикрывается компромиссами, соглашается на полумеры; Блок не желает с этим мириться. Андрей Белый торопится признаться ему в своих чувствах к Любови Дмитриевне. Атмосфера сгущается.

Но больше всего докучает Блоку эта бесконечная игра, эта тяга к прошлому. Воздух в Шахматове уже не такой «розовый и золотой» – как, впрочем, и во всей России. В войне с Японией наступил переломный момент, уже слышны первые раскаты революции 1905 года, и Блок с его редким даром предвидения уже ощутил ее приближение. Его мысли окрашены в мрачные, «лиловые» тона.

Молча свяжем вместе руки,
Отлетим в лазурь, –

так писал он в эпоху «зорь». Теперь же:

И жалкие крылья мои –
Крылья вороньего пугала...

Не осталось никого, с кем он мог, с кем хотел бы улететь.

Десять лет спустя Белый скажет в своих воспоминаниях: «[Мы понимали, что Блок был] уже без *"пути"*; брел он ощупью в том, что мы все закрывали пышнейшими схемами; схемы он снял; понял: будет *темно**; зори – только в душе у нас; нет, он не видел уже объективной духовной зари; и он видел, что мы отходили в пределы: нарисовали себе свое небо; папиросную бумагу, которую прорывает легко арлекин в "Балаганчике"».

Гармония была нарушена, но дружба не распалась. Прошло лето. Перед отъездом Андрей Белый с бесконечными объяснениями вновь излил душу. Все, что мог ему посоветовать Блок, – поскорее покончить с влюбленностью. Так считала и Любовь Дмитриевна. Белый пообещал.

* «...И понял, что будет темно» (А. Блок, 1902 г.).

На следующий год он снова приехал с Сергеем Соловьевым, но «треугольника» уже не было. Революция 1905 года наложила на Блока глубокий отпечаток: он стал серьезным, сумрачным. В его стихах и дневниках зазвучали новые темы. Между тем «аргонавтов» по-прежнему занимают Вундт*, Джемс**, Риккерт*** и Соловьев; они рассуждают о «Третьем Завете» и пытаются установить связь между Кантом и Лапаном, философом XXII века, которого однажды придумали забавы ради. Но смысл игры утрачен. Белого терзают его поэтические концепции, неосуществимая любовь к Любе, братская привязанность к Блоку и в то же время – разлад, который исподволь подтачивает их отношения. До самого конца он будет пытаться относиться к Блоку как к брату, а к себе – как к одержимому. Любовь Дмитриевна теряет терпение: мучительное чувство, кото-

* Вильгельм Вундт (1832–1920) – немецкий психолог, философ, один из основоположников экспериментальной психологии. *(Примеч. пер.)*

** Уильям Джемс (1842–1910) – американский философ и психолог, один из основателей прагматизма. *(Примеч. пер.)*

*** Генрих Риккерт (1863–1936) – немецкий философ, один из основателей баденской школы неокантианства. *(Примеч. пер.)*

рое Белый к ней испытывает, стесняет и удручает ее. Ее утомляет болтовня Сергея: она находит ее надуманной и фальшивой. Пылкий «аргонавт» возражает против непоследовательности новых мотивов в поэзии Блока, а тот не приемлет стихов этого богослова, который пытается втиснуть в рифмы свои религиозные устремления. Взаимопониманию и согласию между ними пришел конец. Александре Андреевне тоже разонравился Сергей, ее тяготит общество Белого.

В каждом слове Блока уже сквозит горькая ирония, которая позже воплотится в «Балаганчике». Он пишет:

И сидим мы, дурачки, –
Нежить, немочь вод.
Зеленеют колпачки
Задом наперед*, –

а Сергей Соловьев и Белый по-прежнему призывают его:

Отлетим в лазурь!

И тогда в их спорах снова зазвучало имя Брюсова: этот маг, этот гений – не дурачок! Он-то

* Посвящено А.М. Ремизову.

обожает звучные стихи и знает, как заставить их полюбить! На что Блок отвечает последним – и дивным – «Стихом о Прекрасной Даме»:

> Ты в поля отошла без возврата.
> Да святится Имя Твое!

И на некоторое время дружба замирает: вскоре находится и предлог для разрыва – недоразумение между Александрой Андреевной и Сергеем поссорило друзей. Белый встал на сторону Сергея, и оба они вернутся в Москву, к своему Брюсову, шумной толпе учеников «мага», литературным альманахам и собраниям, жизни, полной раздоров и болтовни. Блок с женой наслаждаются покоем в Шахматово, с тревогой прислушиваясь к грядущим потрясениям. Любовь Дмитриевна просила Белого больше не писать к ней – ей нечего ему сказать. И на время Андрей Белый исчез из жизни Блока.

Глава IX

9 января 1905 года началась революция. С Японией был подписан мирный договор, унизительный для России. Измученный нищенской жизнью народ восстал. В воспаленном петербургском воздухе прозвучали пушечные залпы. В холодных и мрачных казармах лейб-гвардии Гренадерского полка, где на квартире у отчима жил Блок, ждали солдаты, готовые по первому приказу стрелять по мятежной толпе. Недавняя жизнь, мирная и привольная, уже казалась театральной декорацией, которую может смести легкое дуновение ветерка.

Блок мечется по улицам, слушает, о чем говорят люди, и внезапно осознает, что существует иная жизнь, жизнь народа, бурная, суровая, значительная, ничем не похожая на ту, что он знал до сих пор: возможно, это и есть подлинная жизнь. Сознание прояснилось; многое вдруг открылось ему. Выбор сделан: отныне либерализму, сторонникам золотой середины, звучной и пустой болтовне политиканов, требующих конституции по английскому образцу, он предпочитает непримиримую борьбу, которую ведет голодный народ.

Царизм доживает последние годы. Это осознавала вся интеллигенция: но выбор пути, по которому пойдет неизбежная революция, уже расколол ее надвое. Для Блока нет сомнений в том, что народ освободится сам, – ему не нужна ни помощь болтливых политиков, ни умеренная, консервативная буржуазия с ее вечной оглядкой на европейское общественное мнение и страхом перед кровопролитием.

Блок говорит все меньше, а когда говорит, то едва разжимает губы. Сидя в глубоком кресле в своем длинном и узком кабинете, он занимается, курит, подолгу глядит в окно. В соседней комнате Любовь Дмитриевна, как и он, готовится к последним экзаменам. Именно в это время у нее впервые появляется желание стать актрисой: она внушает Блоку мысль попробовать писать для театра, но пройдет еще больше года, прежде чем осуществится это намерение.

Смолк его смех, улыбка стала серьезной, вокруг голубых с прозеленью глаз залегли тени. Пристальный взгляд неподвижен. Он выглядит оцепеневшим: те, кто его недолюбливает, говорят, что он словно деревянный.

В редких движениях нет никакой живости. На нем просторная, черного сукна блуза без пояса, с широким белым воротником. Одежда без единой складки. Волосы утратили золотистый блеск, румянец поблек. В нем росло беспокойство, поднималась волна ненависти ко всякого рода болтовне, публичности, пустым сварам между новомодными литературными журналами. В одиночестве он бродит по островам, вдоль набережных, полных заводского шума; ему нравится сидеть в кабаках, бок о бок с простым людом, среди поющих, пьющих, плачущих женщин. По вечерам он блуждает по улицам Васильевского острова; прямо за Смоленским кладбищем, где похоронены Бекетовы – его дед и бабушка, – начинается море, над которым пламенеет багровый закат. Вспоминая эти годы, он напишет:

«Мы еще не знаем в точности, каких нам ждать событий, но в *сердце нашем уже отклонилась стрелка сейсмографа*. Мы видим себя уже как бы на фоне зарева...»*

* *Блок А.* Стихия и культура. 1908. *(Примеч. пер.)*

Брюсов, Москва, «аргонавты» ушли в прошлое. И не к прежним ли его товарищам – к Сергею Соловьеву, а возможно, и к Белому – обращены эти строки:

> Ибо что же приятней на свете,
> Чем утрата лучших друзей?

Но расплодились салоны, редакционные кабинеты, журналы. Блок не мог жить в столице словно на необитаемом острове: ему приходилось встречаться, знакомиться с людьми.

Дмитрий Мережковский и его жена Зинаида Гиппиус были в начале века центром притяжения петербургской элиты. Подобно Брюсову, они окружены поклонниками, но в отличие от него к ним тянулись «мыслители», а не «творцы». Скорее, чем стих Рембо или необычная рифма, их могла тронуть глубокая, самобытная мысль. Они обращались к «мудрецам». К ним стекались философы, подобные Розанову (русский Леон Блуа), религиозные писатели, романисты, поэты, деятели прошлой и будущей революции, заговорщики – ничто не оставляло их равнодушными.

Они были больше, чем супружеской четой: организацией, чуть ли не партией. Он – предтеча великого обновления русской литературы –

уже в 1890 году предвидел грядущие потрясения поэтической формы и мысли:

Слишком ранние предтечи
Слишком медленной весны.

«Дети ночи»

Она – умнейшая женщина своего времени, утонченная, красивая, элегантная, со странными зелеными глазами и роскошными рыжими волосами, разодетая в меха и кружева, талантливый поэт, автор романов и эссе, критик; весьма пристрастная чаровница, любительница идейных схваток – умела привлечь к себе тех, кто ей нравился, и оттолкнуть всех, кто ее не признавал.

Блок не сразу был допущен в этот круг, где рождались статьи Мережковского, ставшие эпохой в русской критике, где Зинаида Гиппиус, обожавшая все новое, искала не столько юные таланты, сколько верных поклонников. Оба высоко ставили Брюсова (считавшего Гиппиус величайшим современным поэтом) как просветителя и новатора. К Андрею Белому относились с покровительственной снисходительностью, даже немного обидно – словно к ребенку или умалишенному. Брюсовский альманах и журнал Мережковского в одно и то же время познакомили публику с первыми стихами Блока. Кто же этот молодой человек? Гиппиус рассматривает его в свою лорнетку с любопытством, симпатией, приветливо и скептически. Ее удивляет его женитьба на красивой, но довольно заурядной девушке. У нее свои собственные представления об отношениях полов – глубокие, необычные и чрезвычайно передовые для того времени. Ее влекло все сложное: обычные, нормальные браки казались ей пресными. Юный Блок не шел на компромиссы, не прибегал к лести. Он заходил к ним нечасто, ни о чем не просил – ни в ком не нуждался. И если вплоть до 1918 года, когда они стали врагами, отношение Мережковских к Блоку почти не менялось, с ним все обстояло иначе. Как и у многих других, эти примечательные люди вызывали у него целую гамму разнообразных и противоречивых чувств. Иногда он их почти ненавидел, полагая, что они незаметно пытаются сделать его своей собственностью, давить на него. А иногда ему чуть ли не хотелось целовать Мережковскому руки. У Гиппиус и Мережковского хватало недостатков, даже слабостей, и все же оба они были ему под стать: все трое многое могли дать друг другу.

Зимой 1905–1906 года Блок встретил еще трех человек, оставивших в его жизни неизгладимый след: Ремизова, с которым они очень подружились, поэта Сологуба и Вячеслава Иванова – мыслителя, эрудита, поэта, будущего теоретика русского символизма.

Друг Блока и Андрея Белого, ценитель искусства и музыки, Иванов с его редким умом и силой мысли наложил на эти годы неизгладимый отпечаток. Он изучал за границей историю и философию, потом вернулся в Россию. И, хотя он был старше Блока и Белого, в истории он остался скорее их современником, чем современником Мережковского. К символизму он пришел своим собственным путем, не через французский символизм, как Брюсов, и не через творчество Соловьева, как это было у Блока. Его путь берет свое начало в античности. Для него символизм также призван был раскрывать сущность вещей в искусстве, но здесь его воззрения отличались от взглядов Белого. По Иванову, художник не преображает действительность, превращая явление в образ, а образ – в символ, тем самым преобразуя по своей воле поверхность вещей; он лишь открывает и провозглашает тайную волю всех сущностей, совлекая завесу с символов, содержащихся в самой действительности. A realibus ad realiora, от истины и с помощью истины видимой к скрытой, но тем более реальной истине тех же самых вещей, – таким видится Иванову назначение символизма и в то же время – древний путь создания мифов.

«Символика – система символов; символизм – искусство, основанное на символах. Оно вполне утверждает свой принцип, когда разоблачает сознанию вещи как символы, а символы как мифы. Раскрывая в вещах окружающей действительности символы, т. е. знамения иной действительности, оно представляет ее знаменательной. Другими словами, оно позволяет осознать связь и смысл существующего не только в сфере земного эмпирического сознания, но и в сферах иных. Так, истинное символическое искусство прикасается к области религии, поскольку религия есть прежде всего чувствование связи всего сущего и смысла всяческой жизни»*.

Таким образом, выводя из символизма мысль о религиозном значении искусства, развивая и углубляя свои идеи, Вячеслав Иванов породил горячие и принципиальные споры внутри самого символизма, его единства, вечно нарушаемого философскими, художественными и религиозными разногласиями. Но у него были все основания утверждать, что символизм осуществил на русской почве вполне самостоятельный виток своего развития: именно в России симво-

* *Иванов Вяч.* Две стихии в символизме. *(Примеч. пер.)*

лизм осознал себя не только как литературную школу, но прежде всего как направление, заложившее основы совершенно особого мировидения.

Наконец, обращаясь к прошлому, Иванов высказал бесспорную истину, с которой безоговорочно согласится будущий историк русской литературы XX века:

«Ближайшее изучение нашей символической школы покажет впоследствии, как поверхностно было это [западное] влияние, как было юношески непродуманно и, по существу, мало плодотворно заимствование и подражание, и как глубоко уходит корнями в родную почву все подлинное и жизнеспособное в отечественной поэзии последних полутора десятилетий»*.

Сологуб, замечательный поэт, был одним из тех талантов, чье развитие сокрыто ото всех. Однажды они являются в литературу уже сложившимися и умудренными поэтами. Все их творчество несет на себе отпечаток зрелости. Вдали от шума, от борьбы партий, школ, тщеславий живут они своей таинственной жизнью, замкнутые, скрытные; их называют брюзгами, несносными, противными. Настоящая слава приходит к ним через много лет после их смерти. С первой же

* *Иванов Вяч.* Заветы символизма. *(Примеч. пер.)*

встречи они с Блоком прониклись друг к другу симпатией и между ними установилось взаимопонимание. Иванов – это пиршество ума; Сологуб – чистая поэзия.

Помимо редкого дарования Блока привлекала в Ремизове та заразительная душевная теплота, та бескорыстная искренняя дружба, которой тот его одаривал. Никаких пылких излияний – этого Блок терпеть не мог, – но постоянная, прочная привязанность.

После разрыва с Белым мир для Блока разделился на две неравные части: к первой из них, громадной, он испытывал полнейшее безразличие; вторую же, ограниченную и избранную, считал своей, не мог без нее обойтись, ею были поглощены все его помыслы, ей он принадлежал безраздельно и жил в вечном страхе за нее. Это относится и к некоторым местностям: Шахматово и Петербург были ему необходимы; иногда ему казалось, что они принадлежали ему одному. Не то чтобы он утратил интерес к жизни, к тому, что творилось в мире. Но его «близкие», будь то люди или местности, составляли его сущность, его «внутренний жар» – в том смысле, который придавал этому выражению Розанов. Это прежде всего его жена и мать, затем немногие друзья, которым он оставался верен до самой смерти.

Отношения с отцом, так и не сумевшим внушить ему ни привязанности, ни даже приязни, всегда были учтивыми, но холодными. Профессор Блок воспринял «Стихи о Прекрасной Даме» с изрядной долей иронии. Он все больше превращался в желчного чудака. Вторая жена оставила его, забрав с собой дочь. Трижды в год Блок писал ему и благодарил за денежную помощь – она продолжалась вплоть до окончания университетского курса в 1906 году. Сдав экзамены, Блок пишет критические статьи для разных журналов и участвует в работе над «Большим литературным словарем».

Главное место в его сердце занимали жена и мать. С матерью его связывало неповторимое согласие и душевная близость. Еще в 1900 году он как-то сказал: «[...Мы с мамой частенько] находимся по отношению к земному в меланхолическом состоянии...»

Два тома переписки свидетельствуют об их неизменной нежности и постоянной тревоге друг за друга. С матерью Блока, страдавшей приступами душевного расстройства, уживаться становилось все труднее. С годами ее ревность, раздражительность, нервозность лишь возрастали; но она была неотрывной частью его самого, она принадлежала ему – и его любовь к ней не иссякала. Она мечтала, чтобы он был счастлив, беззаботен, окружен влюбленными женщинами, чтобы верная Люба всегда была рядом. Но чаще видела его печальным, расстроенным, раздражительным, а впоследствии – растерянным, утратившим надежду, склонным к пьянству. В первые годы совместной жизни Александра Андреевна неплохо ладила с Любой. Но к 1905 году начались недоразумения, вскоре переросшие в нечто более серьезное.

Расставаясь с матерью, Блок постоянно ей пишет. Из Шахматова приходят письма – грустные, веселые, серьезные, бодрые. Он посылает ей раннюю фиалку, сообщает новости деревенской жизни: «Куплен большой бык (осенью). Боров стоит 21 рубль... он хороший комнатный зверок.<...> Стихов еще не писал. Все время возвращаюсь мыслью к поросятам, гусям и индюку. <...> Оба гуся, по словам Мартина, “братья”, так что нестись некому...»

Но чаще он делится с нею своими тревогами, душевными терзаниями:

«Конечно, я не буду стараться устраивать раздоры*, даже напротив, постараюсь не злиться, потому что нервы и так расстроены, а всевозможных дел – сколько угодно. Но едва ли я буду много разговаривать...»

* Со своим отчимом.

Зная, что всегда может рассчитывать на ее понимание, не скрывает своих мыслей:

«Жду, чтобы люди изобрели способ общения, годный и тогда, когда вырван грешный язык. Лучшие слова уже плесневеют. “Субстанция” же, которой эти слова жалко силятся уподобиться, живет в каждом».

«...Достоевский воскресает в городе. <...> Опять очень пахло Достоевским. Пошли... к устью Фонтанки за Калинкин мост и сидели на взморье на дырявой лодке на берегу, а кругом играли мальчишки, рисовал оборванный художник и где-то далеко распевали броненосцы». Когда же они с Любой перебираются из казарм на частную квартиру, он пишет матери, очень верно подмечая природу их отношений:

«Мама, я сейчас возвратился домой и захотел тебе написать, потому что когда мы встречаемся, большей частью не говорится ни одного слова, а все только разговоры или споры. Я эти дни очень напряжен, хочу, чтобы это напряжение увеличивалось все больше; больше меня не утомляют чужие люди, напротив, они выдвигают из меня человека, которого я люблю по-настоящему, все больше, и почти всегда, в сущности, нахожусь во внутреннем восторге. Это заставляет меня наружно многое пропускать; при этом мне кажется, что ты на меня смотришь вопросительно – очень часто. Я хочу, чтобы ты всегда определенно знала, что я ни минуты не перестаю тебя любить по-настоящему. Также, не знаю, по-настоящему ли, но наверно, я люблю Францика и тетю. Относительно Любы я наверно знаю, что она тебя любит, она об этом говорит мне иногда просто. Я хочу, чтобы эти простые истины всегда сохранялись и подразумевались, иначе – ненужное будет мешать.

Кроме того, я теперь окончательно чувствую, что, когда начинаются родственники всех остальных калибров, а также всякие знакомые... то душа всех их выбрасывает из себя органически... Все они не только не могут, но и не смеют знать, кто я. Все они так же призрачны, как городовые, которые внимательно смотрят за идущим...»

Осень 1906 года. Начало новой жизни. Он уже не учится в университете. Теперь Блок известный поэт, снискавший признание и славу. У него собственная квартира, где он принимает близких друзей, он бывает в свете. В «башне» Иванова, на воскресных приемах у Сологуба его встречают как дорогого почетного гостя. И у Мережковских он всегда желанный гость: от славы, как от моды, нигде не скрыться.

Но его стихи пронизывает горькая ирония, безысходное отчаяние. Во время одиноких блужданий по городу он заходит в жалкие притоны – не как сторонний наблюдатель, а как собрат и собутыльник пьяниц и проституток.

Глава X

> Мы все поем уныло,
> От ямщика до лучшего поэта, –

писал Пушкин. А Гоголь как-то заметил: «Страшное слышится в судьбе наших поэтов».

В России век XIX стал веком трагических судеб, а XX – веком самоубийств и преждевременных смертей. По словам Блока, «лицо Шиллера – последнее спокойное, уравновешенное лицо, какое мы вспоминаем в Европе». Но среди русских поэтов мы не встретим спокойных лиц. Прошлый век был к ним особенно жесток. Пушкин в тридцать семь, а Лермонтов – двадцати семи лет от роду пали на дуэлях, которые можно было предотвратить. Рылеев повешен. На пороге смерти в семидесятилетнем возрасте Фет пытался распороть себе живот. Аполлон Григорьев, одаренный Фофанов гибнут от нищеты и пьянства. Жизнь Тютчева – непрерывная череда страданий, и лишь после смерти Анненского стали известны терзавшие его душевные муки. О несбывшихся судьбах нечего и говорить: Россия – настоящая вотчина несбывшихся судеб!

Пьянство Блока разительно отличается от григорьевского. Аполлон Григорьев пил горькую, чтобы забыть свою бедность, убогую жизнь захудалого дворянина в жалкой дыре, в захолустье; забыть жену, преждевременно постаревшую от горя и забот, своих босоногих детей, постоянно грозившую ему долговую яму и нехватку чистых рубашек, мешавшую выходить из дому. Напившись до бесчувствия, он никого не узнавал, забывал обо всем.

У Блока же голова всегда оставалась ясной. Его разрушало не вино, а отчаяние. «Так сложилась жизнь»: тут и страсть к мимолетным связям, лихорадочные поиски чего-то недостающего, что он пытается обрести любой ценой, цыганские песни, пустота унылых лет, желание забыть мелкие измены Белого, Любу, посвятившую себя артистической карьере.

В его стихах, письмах, статьях, дневниках и даже фотографиях сквозит постоянно нарастающая, смертная, неотступная тоска, словно все двадцать четыре года его жизни были постоянным душевным надрывом.

Смолк его смех, постепенно исчезла и улыбка. Он все реже и реже вступает в разговоры и наконец совсем умолкает. Некогда румяное лицо пожелтело, потом приобрело землистый оттенок. Волосы из золотистых стали пепельными, начали выпадать. В его стихах догорели и зори, и закаты. Остались одни туманы, снежные бури, вьюги... Пурпурный воздух превратился в лиловый, затем посерел, почернел. А внутренняя музыка, которая звучала в нем с самого детства, в которой слышалось ему дыхание вселенной, удаляется и наконец стихает...

Блоку двадцать шесть. Он завершил поэтический сборник «Нечаянная радость». Что за бледная, непрочная это радость, смешанная с горькой иронией! Не одни только «аргонавты» (их группа к тому времени уже распалась), но и все те, кто считал Блока «Поэтом Дамы», «Певцом Красоты», были разочарованы. Эти стихи могут, конечно, нравиться меньше его ранних стихов, могут казаться менее совершенными: но в том, что он сказал о них сам, заключена глубокая истина: без них он бы никогда не создал стихов третьего периода – самых прекрасных и великих.

Невзрачные шахматовские пейзажи (есть, оказывается, кое-что и кроме розовых зорь), грязные перекрестки Петербурга служат щемящим фоном этим стихам. Блок уже познал опьянение от вина. «Она» исчезла навсегда. Повсюду мельтешат чертенятки в зеленых «колпачках задом наперед», рифмы утратили изысканность, размер становится капризным – и вот в позеленевших зеркалах ресторанных залов с незатейливыми обоями в голубых корабликах (было это где-то на островах или на той излюбленной ими барже?) он встречает новую женщину – Незнакомку, на сей раз доступную, которую каждый может видеть, любоваться ею, прикасаться, любить.

Цыганские скрипки провожают их до дверей. Там уже ждут сани с теплым пологом из медвежьей шкуры. Худощавая гибкая брюнетка с ослепительными зубами, удлиненными зелеными глазами, заслоняясь муфтой, рассыпая в ледяной ночи свой жаркий смех, улетает вместе с ним в снежной метели. Воздух пахнет шампанским и ее духами. Взмыленная лошадь несется по набережной Невы. Лживые клятвы, неложные поцелуи, слезы счастья – чего только там не было!

> И я провел безумный год
> У шлейфа черного...

Из цикла «Фаина»

Она – Наталия Волохова, актриса театра Мейерхольда. Больше года она владеет его сердцем. Она пробудила в нем неистовую страсть, он опьянен ею, он испытывает смешанное чувство радости, тревоги, восторга, полноты ощущений. Именно она – вдохновительница «Снежной маски» и цикла «Фаина». Меняется форма, слышатся новые ритмы, непривычные рифмы.

В тот год Блок пристрастился к театру – особенно к тому, где играла Волохова. Это увлечение не только не отдаляет его от Любы – напротив, оно их сближает: больше чем когда-либо она мечтает стать актрисой. Мейерхольд, один из величайших театральных режиссеров*, в то время возглавлял труппу молодых артистов. Он приводит к Блоку своих друзей, все они от него без ума, просят написать что-нибудь для них. У труппы грандиозные планы. Прежний театр нравов ушел в прошлое, а вместе с ним – и прежний образ жизни. Нужно создать не только новый театр, но и научиться жить по-новому, отбросить условности, освободиться от приличий, забыть долг, обязанности, всю привычную жизнь: пусть каждый день будет праздником или пыткой!

* Он был арестован в 1939 г. и расстрелян в Москве 2 февраля 1940 г.

Мейерхольд руководит труппой, а Вера Комиссаржевская – русская Дузе – возглавляет театр.

У всех этих молодых людей, влюбленных в театр и свободу, твердо очерченные идеи и четко поставленные цели, они яростно сражаются за их торжество и готовы отдать жизнь ради их воплощения. Блоку, с его ненавистью к условностям, ко всему незыблемому, легче дышится среди них. Люба получила ангажемент, она выступает в провинции вместе с частью труппы. Мейерхольду хотелось бы, чтобы Блок создал что-нибудь созвучное их идеям. И Блок пишет «Балаганчик».

Театрик канатных плясунов, ярмарочный балаганчик, где печальный Пьеро ждет свою Коломбину, которую отнимает у него Арлекин. Прекрасная Дама здесь из картона, а небо, куда улетают счастливые влюбленные, – из папиросной бумаги. Из смертельной раны бедного покинутого любовника течет клюквенный сок, а «мистики», хором бормочущие свои теории, так и застывают, разинув рты, становятся плоскими и тают, когда Автор, которого буквально рвут на части, не знает что и придумать, чтобы объяснить публике происшедшее.

Те, кто понимал стихи второго периода, видели в «Балаганчике» не фарс, а важный и мучительный этап в творчестве Блока. Когда рассеиваются иллюзии, остается тревожная пустота, которая терзает его.

Каково же было негодование «аргонавтов», не без оснований узнавших себя в болтливых мистиках! Белый вне себя: он еще мог снести их былые шуточки по поводу Лапана и многого другого, но поклоннику Любови Дмитриевны и Мировой души нестерпимы насмешки Блока над Прекрасной Дамой из картона, небом из папиросной бумаги и двумерными мистиками.

1906–1907 год. Бесконечная, запутанная череда ссор и примирений между Блоком и Белым. Встречи – почти всегда по настоянию Белого – были тягостными. Блок вполне владеет собой: холодный, вежливый, никогда не пытаясь уязвить, он слегка высокомерным тоном говорит любезности. Белый – нервный, задыхающийся, пылавший то любовью, то ненавистью, – вызывает его на дуэль, затем требует объяснений, чтобы простить или получить прощение. Он осознает свою полную ненужность в жизни Блока и временами становится совершенно несносным, навязывая свое присутствие. Блок терпит его из жалости, сочувствуя гению, который так и не сумел осуществиться, к тому же его обезоруживает искренность Белого, который винит себя во всех грехах, готов признать любую вину, никогда не упоминая о своих многочисленных достоинствах и заслугах.

Блок соглашается на эти встречи, но сам их не ищет. Однажды Белый назначает ему свидание в ресторане. Блок приходит вместе с Любовью Дмитриевной. Белый в восторге, все еще может получиться! Но через несколько дней обстановка опять накаляется. Посреди Невского проспекта Блок, погруженный в свои мысли, надменный, непроницаемый, проходит, не замечая его. На Белого это подействовало, как удар по сердцу.

В другой раз они ночь напролет читают стихи. Меж ними царит полное согласие. Забыты, прокляты во веки веков Сергей Соловьев и «аргонавты». Белый думает совсем переехать в Петербург. Но поэма Блока «Ночная фиалка» все портит. «Нет, не то!» Кажется, прав Сергей: Блок все отвергает, порхает, как бабочка, затрагивает все темы, даже не понимая, что делает.

«Ну меня водить за нос не будешь!» – раздраженно твердит Белый, слушая последние стихи Блока.

И вот – поставлен «Балаганчик», чуть ли не кукольное представление. «...Вместо души у А.А. разглядел я дыру», – пишет Белый в своих воспоминаниях. Ему хотелось навсегда бежать в Москву. Он потребовал у Любови Дмитриевны объяснений: она лишь посмеялась над его трагическим видом, горем и разочарованием. Он все не решался уехать. Ему явилась безумная мысль начать с Блоком литературную борьбу. В Москве, в брюсовских альманахах, он яростно критикует нового Блока; тот лишь невозмутимо улыбается в ответ. С удивительной откровенностью Белый говорит в своих воспоминаниях, как он всеми силами пытался развести Любовь Дмитриевну с мужем. Но ей все это уже было чуждо, не трогало ее: в ней пробудилось желание жить собственной жизнью, быть живой женщиной, а не символом.

«Я был близок к нему; я – не понял его; и все делал, чтоб боль его сделать острее; и присыпал к его ранам лишь соль...»

Блок никогда не повышал голоса; Белому чудилось, что он «снисходил», говоря с ним, и это раздражало его.

Расставание, затем новая встреча. Белый поражен тем, как Блок переменился внешне: глубже морщина на лбу, голос делается хриплым. Он пьет. Белый возмущается: «Да вы просто буржуи, схватившиеся за мещанский уклад!» На что Любовь Дмитриевна отвечает: «Зато у вас – mania grandiosa!» Отныне Белый не выходит из дому без револьвера и черной полумаски в кармане. Блоку сообщают, что он хочет драться на дуэли, но тот не принимает его всерьез: «Просто Боря ужасно устал...»

Белый едет в Мюнхен, он проводит год за границей. Вернувшись в Москву, убеждается, что имя Блока по-прежнему у всех на устах и все его язвительные, ядовитые нападки тут бессильны. Он собирает вокруг себя остатки «аргонавтов» и ухитряется натравить на Блока Брюсова: растущая слава Блока могла повредить Мэтру. Между тем Белый жадно прислушивается ко всему, что болтают о Блоке и Любе. До него доходят три печальных известия: Блок пьет, Блок страстно увлечен Наталией Волоховой, Блок по-прежнему пишет театральные пьесы, подобные «Балаганчику». У Белого выходит поэтический сборник «Пепел».

Он все уже перепробовал, чтобы добиться громкого и окончательного разрыва. Но ни его интриги, ни нападки, ни даже на редкость дерзкое письмо, посланное им по возвращении из-за границы, не помогли ему достичь этой цели. На сей раз встречи пожелал сам Блок. Последовало новое объяснение. Блок считал зачинщиком «неразберихи» между ними Сергея Соловьева, Белый во всем винил Любовь Дмитриевну. Блок предложил помириться и больше никого не вмешивать в их личные отношения, примирение было скреплено поездкой на «вечер искусства» в Киев. Счастливые, они вместе возвращаются в Петербург; Белый побаивается встречи с Любой, но все прошло успешно: его приняли просто и приветливо. И все же что-то несомненно изменилось. Люба уже не та: уверенная в себе, светская, она окружена поклонниками и с удовольствием говорит о своих успехах. И она, и Блок теперь «живут каждый своей особою жизнью». Вечера лишились прежнего тихого очарования, когда Белый, бывало, допоздна засиживался в кабинете у Блока или в столовой с Любой; они читали, спорили, молчали, и даже эти минуты молчания были прекрасны. Теперь Блок рассеян, нередко пьян, иногда он пропадает по нескольку дней кряду. Люба очень занята, она играет, принимает друзей. Чувствуется, что между ними пролегла трещина, повеяло холодком, от которого Белому становится не по себе. Как-то Люба призналась ему, «что многое она вынесла в предыдущем году и что не знает сама, как она уцелела». Блок с горечью говорил, что они «перешли Рубикон» и что «возврата не может быть». Мир и гармония, которыми Белый восхищался в 1904 году, ушли в прошлое. Александра Андреевна все хуже мирится с Любой и редко заходит к ним. В доме постоянно толпятся люди, с которыми Белому не о чем говорить. Презирая старомодные условности, Люба и Волохова отлично ладят между собой, они – подруги; провинциалу-москвичу это кажется диким и неприличным. Власть Волоховой над Блоком беспредельна; люди заурядные и ничтожные заняли место прежних друзей. Люба и Блок словно всю свою жизнь превратили в театр. Но «возврата не может быть».

Белый не в силах этого вынести, он чувствует себя несчастным, страдает в окружении людей, которые ему неприятны. Отчаявшись, он возвращается в Москву, и на несколько лет общение между ним и Блоком замирает: они даже перестали писать друг другу. Отныне Блок вспоминается Белому не таким, как в дни юности, – тогда он казался похожим на Герхарда Гауптмана; теперь же его отяжелевшее, усталое лицо напоминает ему Оскара Уайльда.

Глава XI

«Мама... жить становится все трудней – очень холодно. ...Полная пустота кругом: точно все люди разлюбили и покинули, а впрочем, вероятно, и не любили никогда. Очутился на каком-то острове в пустом и холодном море... На остров люди с душой никогда не приходят... На всем острове – только мы втроем, как-то странно относящиеся друг к другу, – всё очень тесно. <...> Тем двум – женщинам с ищущими душами, очень разным, но в чем-то неимоверно похожим – тоже страшно и холодно».

Но миновал «безумный год». Блок и Волохова расстались, даже не простившись.

«Быть может, здесь уже не ты...» – писал он. И еще: «Не знаю: я забыл тебя».

Кончились их вечера втроем: теперь он остался один. Люба уехала на гастроли, она счастлива своей работой в театре, своими успехами. С Волоховой у нее по-прежнему дружеские отношения. Растерянный, обескураженный, он, словно переживший кораблекрушение, никак не может прийти в себя. «Пью много, живу скверно. Тоскливо, тревожно, не по-людски».

«Мама... мне жить нестерпимо трудно. <...> Такое холодное одиночество – шляешься по кабакам и пьешь. Правда, пью только редкими периодами, а все остальное время – холоден и трезв, злюсь, оскаливаюсь направо и налево...

Чем холоднее и злее эта неудающаяся "личная" жизнь (но ведь она никому не удается теперь), тем глубже и шире мои идейные планы и намерения».

Его окружают несколько друзей – люди малоодаренные, но все же с ними иногда приятно провести вечер за выпивкой, болтовней о том о сем, в бесцельных скитаниях по городу. Самые верные из них – Евгений Иванов (бесконечно преданный Блоку) и Пяст – ясновидец, обожатель Стриндберга. В своем отчаянии, в страхе перед одиночеством Блок мирится с их обществом.

«Отчего не напиться иногда, когда жизнь так сложилась?» «Первая неделя поста была немножко безумна, мучительна и темна. <...> Но подлинной жизни нет и у меня. Хочу, чтобы она была продана по крайней мере за неподдельное золото... а не за домашние очаги и страхи...»

И все же он бывает счастлив, когда приезжает жена. Ее прелесть, все ее милые жесты, улыбающееся лицо успокаивают его. Она наводит в его жизни порядок: ему нравится чистота в доме, свежие занавески, расставленные книги в шкафу. Но вот она снова едет на гастроли: после ее отъезда Блок опять погружается в молчание, грустнеет, на лице его застывает каменная улыбка. В Шахматово его больше не тянет: среди лесов и лугов он томится от скуки, а главное – здесь ему страшно недостает мимолетных, случайных встреч. Наталия Волохова – «Незнакомка»*, подобная «светлой звезде», прохожая с черным «шлейфом, как хвост кометы», ушла из его жизни. Но другие то и дело вторгаются в нее...

«Зовут ее Мартой. У нее две большие каштановые косы... Моя система – превращение плоских профессионалок на три часа в женщин страстных и нежных – опять торжествует. <...> Все это так таинственно. Ее совсем простая ду-

* Пьеса Блока, названная им так же, как и знаменитое стихотворение «Незнакомка».

ша и мужицкая становится арфой, из которой можно извлекать все звуки. <...> Как редко дается большая страсть. <...> Но когда страсти долго нет... ее место занимает поганая похоть... И совершенно неожиданно приходит ветер страсти. “Буря”. <...> Есть страсть – тоже буря, но в каком-то кольце тоски. Но есть страсть – освободительная буря...»

«Мама... я провел необычайную ночь с очень красивой женщиной. <...> Я же, после перипетий, очутился в четыре ночи в какой-то гостинице с этой женщиной, а домой вернулся в девятом».

За несколько месяцев до смерти Блок признавался, что в его жизни было сотни три таких «встреч». Некоторые из этих женщин запечатлены в его стихах, другие исчезли бесследно.

Затем наступала скука – наследие прошлого века: незадолго до Первой мировой войны она еще была жива в России, хотя и в видоизмененной форме. Это уже не то унылое оцепенение, охватившее в XIX веке русскую провинцию, затерянную среди степного бездорожья, вдали от крупных городов, – застой в умах и переполненные желудки. И не та скука, от которой страдали чеховские герои! Скорее, это атмосфера теплицы, где тысячи людей томились в бесплодной, опасной, безнравственной изоляции, лишенные всякой связи с огромной народной массой, нищей и невежественной. Оттого ли, что эти тепличные растения слишком быстро выросли, получились они такими вялыми и безжизненными? Или все дело в народе, дремавшем полтысячелетия? Вся история России – сплошные превращения скуки, из века в век выливавшейся на этих бескрайних просторах, под этим ненастным небом, то в тупую покорность, то в дикую жестокость, то в беспробудную лень. Как и многим другим, Блоку знакома эта скука, и часто, лежа в постели, он часами наблюдает, как мухи вьются вокруг лампы, словно бессмертный символ русской тоски.

В формировании Блока огромную роль сыграла революция 1905 года; благодаря ей он впервые открыл для себя жизнь, иную жизнь, непохожую на идейные, философские и религиозные мечтания. Символизм, страстные речи Белого, сверхизысканные статьи Вячеслава Иванова – все это также было важно, ценно, но в то же время «проклято». Россия нуждалась в другом. Могли ли они восторгаться балетами Дягилева, увлекаться стихами Корбьера в переводе Брюсова, воспевать красоту греческих героев, когда буря вот-вот грянет? Но во всем этом был великий соблазн, и никто не желал прислушаться... Блок не требовал от русской духовной элиты немедленного действия, отказа от поклонения Красоте, без которого он сам не мыслил своей жизни. Он не считал, подобно Некрасову, что его друзья «обязаны быть гражданами». Но как только Блок осознал «проклятие абстрактного», нависшее над русской интеллигенцией, он остановился посредине своего пути и призвал: «Завесьте ваши лица! Посыпьте пеплом ваши головы! Ибо приблизились сроки».

Зинаида Гиппиус в своих воспоминаниях о Блоке говорит, что в нем чувствовалась какая-то «беззащитность». Но чем мог защититься тот, кто *понял?* Белый, да и другие, часто упрекали его за высокомерие, надменно поднятую голову, каменную улыбку, привычку говорить сквозь зубы, даже когда он читал стихи. Он особенно гордился своим знанием, тем, что был готов к катастрофе, которую невозможно предотвратить.

Революция 1905 года помогла ему многое осознать, и ему захотелось перенести свои мысли в статьи. С 1907 по 1918 год Блок создал ряд статей под общим названием «Россия и интеллигенция».

«Образованные и ехидные интеллигенты, поседевшие в спорах о Христе и антихристе, дамы, супруги, дочери, свояченицы в приличных кофточках, многодумные философы, попы, лоснящиеся от самодовольного жира... зная, что за дверями стоят нищие духом и что этим нищим нужны дела. И вот один тоненький, маленький священник в бедной ряске выкликает Иисуса – и всем неловко, один честный, с шишковатым лбом, социал-демократ злобно бросает десятки вопросов, а лысина, елеем сияющая, отвечает только, что нельзя сразу ответить на столько вопросов. И все это становится модным, уже модным – доступным для приват-доцентских жен и для благотворительных дам. А на улице – ветер, проститутки мерзнут, люди голодают, людей вешают, а в стране – реакция, а в России – жить трудно, холодно, мерзко. Да хоть бы все эти нововременцы, новопутейцы, болтуны – в лоск исхудали от собственных исканий, никому на свете, кроме "утонченных натур", не нужных, – ничего в России не убавилось бы и не прибавилось!»

«Если интеллигенция все более пропитывается "волею к смерти", то народ искони носит в себе "волю к жизни". Понятно в таком случае, почему и неверующий бросается к народу, ищет в нем жизненных сил: просто по инстинкту самосохранения; бросается и наталкивается на усмешку и молчание, на презрение и снисходительную жалость, на "недоступную черту", а может быть, на нечто еще более страшное и неожиданное.

Гоголь и многие русские писатели любили представлять себе Россию как воплощение тишины и сна; но этот сон кончается; тишина сменяется отдаленным и возрастающим гулом, непохожим на смешанный городской гул.

Тот же Гоголь представлял себе Россию летящей тройкой. "Русь, куда же несешься ты? Дай ответ". Но ответа нет, только "чудным звоном заливается колокольчик".

Тот гул, который возрастает так быстро, что с каждым годом мы слышим его ясней и ясней, и есть "чудный звон" колокольчика тройки. Что, если тройка, вокруг которой "гремит и становится ветром разорванный воздух", – *летит прямо на нас?* Бросаясь к народу, мы бросаемся прямо под ноги бешеной тройке, на верную гибель.

Отчего нас посещают все чаще два чувства: самозабвение восторга и самозабвение тоски, отчаянья, безразличия? Скоро иным чувствам не будет места. Не оттого ли, что вокруг уже господствует тьма? Каждый в этой тьме уже не чувствует другого, чувствует только себя одного. Можно уже представить себе, как бывает в страшных снах и кошмарах, что тьма происходит оттого, что над нами нависла косматая грудь коренника и готовы опуститься тяжелые копыта».

«Словом, как будто современные люди нашли около себя бомбу; всякий ведет себя так, как велит ему его темперамент; одни вскрывают обойму, пытаясь разрядить снаряд; другие только смотрят, выпучив от страха глаза, и думают, завертится она или не завертится, разорвется или не разорвется; третьи притворяются, что ровно ничего не произошло, что круглая штука, лежащая на столике, вовсе не бомба, а так себе – большой апельсин, а все совершающееся – только чья-то милая шутка; четвертые, наконец, спасаются бегством, все время стараясь устроиться так, чтобы их не упрекнули в нарушении приличий или не уличили в трусости».

«И потому, хотим мы или не хотим, помним или забываем, – во всех нас заложено чувство болезни, тревоги, катастрофы, разрыва. Это чувство разрыва никто не станет отрицать в целом, но чуть только попытаешься перевести его на конкретное – немедленно найдутся ярые отрицатели болезни и защитники своей цельности. <...> Если заговоришь о том, что неблагополучно ни в одной семье, сейчас же найдется семьянин, который скажет, что он живет 25 лет в мире и согласии с женой и детьми. Если скажешь, что наука бессильна перед провалом южной Италии, сейчас же поднимется геолог и заявит...

что наука если еще и не совсем победила природу, то через 3000 лет победит»*.

«Самые живые, самые чуткие дети нашего века поражены болезнью, незнакомой телесным и духовным врачам. Эта болезнь – сродни душевным недугам и может быть названа «иронией». Ее проявление – приступы изнурительного смеха, который начинается с дьявольски-издевательской, провокаторской улыбки, кончается – буйством и кощунством. <...> С теми, кто болен иронией, любят посмеяться. Но им не верят или перестают верить. <...> Не слушайте нашего смеха, слушайте ту боль, которая за ним. Не верьте никому из нас, верьте тому, что за нами»**.

«Не все можно предугадать и предусмотреть. Кровь и огонь могут заговорить, когда их никто не ждет. Есть Россия, которая, вырвавшись из одной революции, жадно смотрит в глаза другой, может быть, более страшной»***.

Вот о чем размышлял Блок в годы, последовавшие за первой русской революцией. И московским, и петербургским символистам одно казалось несомненным: Блок уже не был Пев-

* 1908 г.

** 1908 г.

*** 1913 г.

цом Прекрасной Дамы; он стал человеком современной России; с больной совестью, полный неутолимой тоски, он трезво смотрел в будущее. Он перерос свою школу, перерос учителей: он не страшился слов, не стыдился слез.

Глава XII

Все три части первой книги стихов Блока проникнуты глубоким внутренним единством. Но со второй книгой, созданной между 1904 и 1908 годами, дело обстоит иначе. Она включает цикл «Пузыри земли», так неприятно поразивший Белого; «Город», навеянный прогулками по злачным местам петербургских пригородов; цикл «Вольные мысли», написанный белым десятистопным размером; множество стихов, посвященных Волоховой («Снежная маска», «Фаина»), и наконец «Разные стихотворения». В них сильнее всего отразился путь, пройденный Блоком за эти годы.

Мир никогда не представлялся Блоку совершенно непроницаемым: сквозь него он всегда прозревал многое другое, более великое, глубокое, значимое и существенное. После революции и пережитого им духовного кризиса, в начале первого года возмездия (1908), мысли Блока приобрели новую направленность. Он вдруг осознал, насколько хрупко все, что его окружает. Сквозь каменные стены стал проглядывать остов, под теплой живой плотью угадывался скелет. Все внешнее скоро рухнет, кончится привычная жизнь, может быть, вся страна погибнет! Его терзает эта засевшая в нем мысль. Он пытается бороться с предчувствием. Но сказал же Достоевский, что однажды Петербург «исчезнет как дым». А что, если исчезнет и вся Россия? Что, если солнце и ветер развеют этот туман и на тысячи верст вокруг останутся лишь безмолвие, болота, леса да бескрайние дикие степи? Вся Русь сгинет вместе со своей предумышленной столицей. Хотя столица эта прекрасна, прочно закована в гранит. Но ведь и Рим был надежно защищен? Подобно тому, как на развалинах Римской империи возникла Италия, что-нибудь появится на месте России. Возможно, это что-то будет прекрасно и некоторым туристам полюбится даже больше, чем древние памятники. Но прежней России не останется. Погиб Рим, и вслед за ним погибнет Русь.

Ты видишь ли теперь из гроба,
Что Русь, как Рим, пьяна тобой? –

писал Блок в стихотворении, посвященном Клеопатре.

А вместе с Петербургом исчезнет и целая эпоха, великая эпоха в русской поэзии, начало которой положил Пушкин. Так в один день сгинут оба дара Петра Великого.

В «Ночной фиалке» Блок впервые заговорил о прозрачной оболочке города. Время остановилось, все застыло, погрузилось в сон. По берегам Невы тысячелетние герои в глубоком оцепенении мечтают, созерцая море. Быть может, спустя две тысячи лет они также будут смотреть прямо перед собой, и лишенная возраста дочь владыки, потомка викингов, по-прежнему будет прясть день за днем, век за веком. Здесь впервые Блок выразил, как хрупка жизнь, как непрочны декорации, до сих пор казавшиеся незыблемыми. И нами овладевает предчувствие, что, если все это однажды исчезнет, закончится и славный этап русской литературы, последним представителем которого был Блок.

Все обречено на гибель. Не приходится сомневаться, что Блок – в своих стихах, статьях, дневниках, письмах – глашатай тревоги. Но ему не желают верить, его не хотят услышать. Одни углубились в теоретические рассуждения о символизме, другие увлеклись политикой, погрязли в запутанных религиозных диспутах. Двадцатилетние, хлопая дверями, врываются в литературу с твердым намерением развенчать идеи Белого и Вячеслава Иванова. Ремизов и Сологуб – возможно, единственные, кто его понимает, но оба они слишком поглощены собственными размышлениями и творчеством.

Представители левых партий не разглядели в Блоке предвестника революции; их вкусы безнадежно устарели, они были глухи ко всему новому в искусстве и видели в нем лишь пустого эстета и декадента. Ненавистные Блоку либералы, казавшиеся ему воплощением буржуазного духа, справедливо считали его своим врагом и упрекали в том, что он, предсказывая страшное будущее, своим похоронным звоном мешает людям спокойно спать.

Блок неотделим от того мира, которому суждено погибнуть; он различает в самом себе признаки этого сползания в пропасть. Его тревога приобретает мировой размах; грядущая катастрофа сулит гибель всему, что ему дорого: жизни в Петербурге, покою Шахматова, самому обществу, всему жизненному укладу – все это будет сметено той же неумолимой роковой силой, что разрушила его семейный очаг.

О, если б знали, дети, вы,
Холод и мрак грядущих дней!*

Он не ведает страха – только отчаяние. И не пресловутая славянская покорность судьбе мешала ему действовать. Все дело в его удивительно трезвом взгляде на вещи.

1908 год стал для него первым годом возмездия. В одной из его записных книжек (за ноябрь 1908 года) мы находим следующие отрывки, позволяющие судить о душевном состоянии Блока:

«Все тихо. Вдруг из соседней комнаты голос его: "А-а! А-а!"

– Что с тобой? Что с тобой? <...>

Выбегает, хватаясь за голову.

– Как все странно кругом. Я видел сон. Раздвинулся занавес. Тащатся сифилитики в гору. И вдруг – я там! Спаси меня!

* И не один он так думал. Философ Константин Леонтьев (1831–1891) утверждал, что тысяча лет русской истории «представляется гранью, через которую не перешло ни одно из прежде бывших государств славянских». Леонтьев пришел к этому выводу в результате длинной цепи рассуждений, основанных на знании истории. Блок это понял (и пережил) интуитивно.

– Только бы ребенок не услышал».

«Кошмары подступают. Уже рта не открыть».

«Приносят разбитого кирпичом.

– Да, Господи, да, Господи. Да ведь я же поправлюсь. Это же случай. Случайного ничего не бывает. Ведь я такой красивый и сильный. За что же?»

«Мне важнее всего, чтобы в теме моей услышали реальное и страшное “memento mori”».

Глава XIII

Кроме многих стихов книги второй, посвященных его любви к Волоховой, существует драма «Песня Судьбы», бесспорно, навеянная ею. Эта неудачная пьеса никогда не была поставлена; это, несомненно, – худшее из всего написанного им. Несмотря на то что в ней ясно чувствуется влияние «Пера Гюнта», театра Гауптмана и Метерлинка, она любопытна своими автобиографическими мотивами и присущим главному герою умонастроением: он слишком счастлив со своей женой и покидает мирный очаг, чтобы вдали от дома узнать сердечные бури. «Господи. Так не могу больше. Мне слишком хорошо в моем тихом белом доме. Дай силу проститься с ним и увидать, какова жизнь на свете. Сохрани мне только жар молодой души и живую совесть, Господи. Больше ни о чем не прошу тебя в этот ясный весенний вечер, когда так спокойны и ясны мысли».

«Да разве можно теперь живому человеку мирно жить, Елена? Живого человека так и ломает всего: посмотрит кругом себя – одни человеческие слезы... посмотрит вдаль – так и тянет его в эту даль...»

И герой добавляет:

Не надо очага и тишины –
Мне нужен мир с поющим песни ветром!

Его талант полностью раскрылся в «Снежной маске», «Фаине» и «Разных стихотворениях». В этих произведениях уже не осталось ничего юношеского. Блок создал собственную, неповторимую форму, нашел верные слова. Здесь нет и намека на романтизм: простая, обыденная речь, веские, точные слова – мы найдем их и в «Городе», и в будущей поэме «Двенадцать». Сельских пейзажей почти нет: лишь стены, камни, дворы. Он виртуозно владеет ритмами, и это придает его поэзии редкое очарование и самобытность. В его стихах слышатся отзвуки цыганских романсов, гитары и скрипок, вина и танцев. У них есть прошлое, они говорят и о будущем, а в этом будущем возникает новый мотив: смерть.

Он в зените славы. Его встречают овациями в Петербурге, Москве, Киеве. Газеты и журналы публикуют его статьи. У Сологуба, Мережковских, в «башне» у Иванова он самый почетный, желанный гость. В Петербурге ставят «Праматерь» Грильпарцера* в его переводе.

Любин сын умер, она снова с Блоком. Их жизнь еще может наладиться; она останется с ним, станет за ним ухаживать, летом они вместе поедут в Италию. В записных книжках он пишет, как хорошо ему с ней; как он любит ее милое лицо, ее беззаботность, детские шалости. С удовольствием отмечает, как она похорошела, помолодела в Венеции. Она необходима ему, она – Единственная.

«Смерти я боюсь и жизни боюсь, милее всего прошедшее, святое место души – Люба. Она помогает – не знаю чем, может быть, тем, что отняла?»

Они побывали в Академии, во Дворце дожей. Блоку нравится итальянское Возрождение, больше всего – сцены Благовещенья. Любуясь картинами, он словно вновь погружается в атмосферу времен Прекрасной Дамы.

«Но Ты – вернись, вернись, вернись – в конце назначенных нам испытаний. Мы будем Тебе

* Грильпарцер Франц (1791–1872) – австрийский писатель-романтик.

молиться среди положенного нам будущего страха и страсти. Опять я буду ждать – всегда раб Твой, изменивший Тебе, но опять, опять – возвращающийся.

Оставь мне острое воспоминание, как сейчас. Острую тревогу мою не усыпляй. Мучений моих не прерывай. Дай мне увидеть зарю Твою. Возвратись».

И в то же время он пишет эротические стихи:

> Быть с девой – быть во власти ночи,
> качаться на морских волнах...

Впрочем, это лишь мимолетное впечатление. Другое тревожит его сердце во время путешествия по Италии – Россия. Впервые он видит свою страну со стороны, на расстоянии, и она кажется ему ужасной. Еще за несколько дней до отъезда он пишет матери:

«А вечером я воротился совершенно потрясенный с "Трех сестер". Это – угол великого русского искусства, один из случайно сохранившихся, каким-то чудом не заплеванных углов моей пакостной, грязной, тупой и кровавой родины, которую я завтра, слава тебе Господи, покину. <...>

Несчастны мы все, что наша родная земля приготовила нам такую почву – для злобы и ссоры друг с другом. Все живем за китайскими стенами, полупрезирая друг друга, а единственный общий враг наш – российская государственность, церковность, кабаки, казна и чиновники – не показывают своего лица, а натравливают нас друг на друга.

Изо всех сил постараюсь я забыть начистоту всякую русскую "политику", всю российскую бездарность, все болота, чтобы стать человеком, а не машиной для приготовления злобы и ненависти. Или надо совсем не жить в России, плюнуть в пьяную харю, или изолироваться от унижения – политики, да и "общественности" (партийности)».

В Венеции эти чувства, эти мысли только усиливаются:

«Несчастную мою нищую Россию с ее смехотворным правительством... с ребяческой интеллигенцией я презирал бы глубоко, если бы не был русским. <...> Всякий русский художник имеет право хоть на несколько лет заткнуть себе уши от всего русского и увидать свою другую родину – Европу...»

«Единственное место, где я могу жить, – все-таки Россия, но ужаснее того, что в ней, нет нигде. <...> Трудно вернуться, и как будто *некуда* вернуться – на таможне обворуют, в середине России повесят или посадят в тюрьму, оскорбят, – цензура не пропустит того, что я написал».

Но в Европе, как и в России, не находит он желанного выхода:

«Более чем когда-нибудь я вижу, что ничего из жизни современной я до смерти не приму и ничему не покорюсь. Ее позорный строй внушает мне только отвращение. Переделать уже ничего нельзя – не переделает никакая революция. *Все* люди сгниют, *несколько* человек останется. Люблю я только искусство, детей и смерть. Россия для меня – все та же – лирическая величина. На самом деле – ее нет, не было и не будет».

На расстоянии он размышляет и о своей жизни. Литературная и политическая суета Петербурга внушают ему лишь усталость и скуку. Быть свободным! Быть свободным – значит, больше не зарабатывать на жизнь своим пером.

«Надо резко повернуть, пока еще не потерялось сознание, пока не совсем поздно. Средство – отказаться от литературного заработка и найти другой. Надо же как-нибудь жить. А искусство – мое драгоценное, выколачиваемое из меня старательно моими мнимыми друзьями, – пусть оно остается искусством – <...> без Чулкова, без модных барышень и альманашников, без благотворительных лекций и вечеров, без актерства и актеров, без ИСТЕРИЧЕСКОГО СМЕХА. <...> Хотел бы много и тихо думать, тихо жить, видеть немного людей, работать и учиться, неужели это невыполнимо? Только бы *всякая* политика осталась в стороне. Мне кажется, что только при этих условиях я могу опять что-нибудь создать... Как Люба могла бы мне в этом помочь».

«Без Бугаева и Соловьева обойтись можно».

Флоренция, Сиена... Пока это только пятна света. Но вскоре они превратятся в стихи, «Итальянские стихи» из третьей книги – самую классическую часть его творчества. Он покидает Милан, проезжает через Бад-Наугейм. С первого его приезда сюда прошло двенадцать лет. Просыпается память о первой любви – нежные, трогательные воспоминания. Он помечает в записной книжке: «...Первой влюбленности, если не ошибаюсь, сопутствовало сладкое отвращение к половому акту (нельзя соединяться с очень красивой женщиной, надо избирать для этого только дурных собой)».

Вместе с Любой он возвращается в Россию. Лето, их ждет Шахматово. Но Блоку там не живется. Почему? Что произошло? Он и сам не знает. Но ему скучно в этих местах, некогда дорогих, скучно рядом с женой и матерью, которые делают все, чтобы он был счастлив. Люба дорога ему. Она – единственная женщина, которую он по-настоящему любил; он и теперь любит ее и будет любить всю жизнь. Но изнывать здесь, в деревенской глуши, и никого не видеть, кроме нее, – это невыносимо. А ведь он мечтал об уединении.

Мать страдает от эпилептических припадков: хорошо бы отправить ее в санаторий. От работника одни заботы – его следовало бы прогнать. Но денег нет, и все остается как есть.

В Петербурге тоже ничего не изменилось. Осень не приносит ему радости, несмотря на шумный успех «Итальянских стихов». Он пишет много статей, их печатают не только передовые, но и крупные газеты. Хотелось бы поставить «Песню Судьбы», но и это затягивается!

«...Я уже третью неделю сижу безвыходно дома, и часто это страшно угнетает меня. Единственное "утешение" – всеобщий ужас, который господствует везде, куда ни взглянешь. Все люди, живущие в России, ведут ее и себя к погибели. Теперь окончательно водворился "прочный порядок", заключающийся в том, что руки и ноги жителей России связаны крепко – у каждого в отдельности и у всех вместе. Каждое активное движение... ведет лишь к тому, чтобы причинить боль соседу, связанному точно так же, как я. Таковы условия общественной, государственной и личной жизни. <...> Все одинаково смрадно, грязно и душно – как всегда было в России: истории, искусства, событий, прочего, что и создает единственный фундамент для всякой жизни, здесь почти нет. Неудивительно, что и жизни нет».

Но вот наступает второй год возмездия: Блока вызывают в Варшаву. Только что скончался его отец.

Глава XIV

Великая, но, к сожалению, неоконченная поэма Блока «Возмездие» была задумана в Варшаве после похорон профессора Блока. Эпиграф взят из Ибсена: «Юность – это возмездие»*. Это произведение родилось из посмертной любви поэта к отцу, который при жизни был ему совершенно чужим.

Когда в 1910 году Блок начал писать «Возмездие», его поэтический талант достиг расцвета. Пролог и первая глава – истинные шедевры. Вторая глава не окончена, третья осталась в набросках. Русская поэзия редко достигала

* *Ибсен Г.* Строитель Сольнес. *Перевод А. и П. Ганзен. (Примеч. пер.)*

такого пророческого величия. Вот что писал Блок в 1919 году в предисловии к поэме:

«Не чувствуя ни нужды, ни охоты заканчивать поэму, полную революционных предчувствий, в годы, когда революция уже произошла, я хочу предпослать наброску последней главы рассказ о том, как поэма родилась, каковы были причины ее возникновения, откуда произошли ее ритмы.

Интересно и небесполезно и для себя, и для других припомнить историю собственного произведения. К тому же нам, счастливейшим или несчастливейшим детям своего века, приходится помнить всю свою жизнь; все годы наши резко окрашены для нас, и – увы! – забыть их нельзя, – они окрашены слишком неизгладимо, так что каждая цифра кажется написанной кровью; мы и не можем забыть этих цифр; они написаны на наших собственных лицах.

Поэма “Возмездие” была задумана в 1910 году и в главных чертах набросана в 1911 году. Что это были за годы?

1910 год – смерть Комиссаржевской, смерть Врубеля и смерть Толстого. С Комиссаржевской умерла лирическая нота на сцене; с Врубелем – громадный личный мир художника, безумное упорство, ненасытность исканий – вплоть до помешательства. С Толстым умерла человеческая нежность – мудрая человечность.

Далее, 1910 год – это кризис символизма, о котором тогда очень много писали и говорили как в лагере символистов, так и в противоположном. В этом году явственно дали о себе знать направления, которые встали во враждебную позицию и к символизму, и друг к другу: акмеизм, эгофутуризм и первые начатки футуризма.

Зима 1911 года была исполнена глубокого внутреннего мужественного напряжения и трепета. Я помню ночные разговоры, из которых впервые вырастало сознание нераздельности и неслиянности искусства, жизни и политики. Мысль, которую, по-видимому, будили сильные толчки извне, одновременно стучалась во все эти двери, не удовлетворяясь более слиянием всего воедино, что было легко и возможно в истинном мистическом сумраке годов, предшествовавших первой революции, а также – в неистинном мистическом похмелье, которое наступило вслед за нею.

Именно мужественное веянье преобладало: трагическое сознание неслиянности и нераздельности всего – противоречий непримиримых и требовавших примирения. Ясно стал слышен северный жесткий голос Стриндберга, которому остался всего год жизни. Уже был ощутим запах гари, железа и крови. Весной 1911 года П.Н. Милюков прочел интереснейшую лекцию под заглавием “Вооруженный мир и сокращение вооружений”. В одной из московских газет появилась пророческая статья “Близость большой войны”. В Киеве произошло убийство Андрея Ющинского, и возник вопрос об употреблении евреями христианской крови. Летом этого года, исключительно жарким, так что трава горела на корню, в Лондоне происходили грандиозные забастовки железнодорожных рабочих, в Средиземном море разыгрался знаменательный эпизод “Пантера – Агадир”.

Неразрывно со всем этим связан для меня расцвет французской борьбы в петербургских цирках: тысячная толпа проявляла исключительный интерес к ней. <...>

Наконец, осенью в Киеве был убит Столыпин, что знаменовало окончательный переход управления страной из рук полудворянских, получиновничьих в руки департамента полиции.

Все эти факты, казалось бы, столь различные, для меня имеют один музыкальный смысл. <...>

Я думаю, что простейшим выражением ритма того времени, когда мир, готовившийся к неслыханным событиям, так усиленно и планомерно развивал свои физические, политические и военные мускулы, был *ямб*. Вероятно, потому повлекло и меня, издавна гонимого по миру бичами этого ямба, отдаться его упругой волне на более продолжительное время. Тогда мне пришлось начать постройку большой поэмы под названием “Возмездие”. <...>

Тема заключается в том, как развиваются звенья единой цепи рода. Отдельные отпрыски всякого рода развиваются до положенного им предела и затем вновь поглощаются окружающей мировой средой; но в каждом отпрыске зреет и отлагается нечто новое и нечто более острое, ценою бесконечных потерь, личных трагедий, жизненных неудач, падений и т. д.; ценою, наконец, потери тех бесконечно высоких свойств, которые в свое время сияли, как лучшие алмазы в человеческой короне (как, например, свойства гуманные, добродетели, безупречная честность, высокая нравственность и проч.).

Словом, мировой водоворот засасывает в свою воронку почти всего человека; от личности почти вовсе не остается следа, сама она, если остается еще существовать, становится неузнаваемой, обезображенной, искалеченной. Был человек – и не стало человека, осталась дрянная вялая плоть и тлеющая душонка. Но семя брошено, и в следующем первенце растет новое, более упорное; и в последнем первенце это новое и упорное начинает наконец ощутительно действовать на окружающую среду; таким образом, род, испытавший на себе возмездие истории, среды, эпохи, начинает в свою очередь творить возмездие; последний первенец уже способен огрызаться и издавать львиное рычание; он готов ухватиться своей человечьей ручонкой за колесо, которым движется история человечества. И, может быть, ухватится-таки за него...

Что же дальше? Не знаю, и никогда не знал; могу сказать только, что вся эта концепция возникла под давлением все растущей во мне ненависти к различным теориям прогресса.

Поэма должна была состоять из пролога, трех больших глав и эпилога. Каждая глава обрамлена описанием событий мирового значения: они составляют ее фон.

Первая глава развивается в 70-х годах прошлого века, на фоне русско-турецкой войны и народовольческого движения, в просвещенной либеральной семье; в эту семью является некий “демон”, первая ласточка “индивидуализма”, человек, похожий на Байрона, с какими-то нездешними порываниями и стремлениями, притупленными, однако, болезнью века, начинающимся fin de siècle.

Вторая глава, действие которой развивается в конце XIX и начале XX века, так и не написанная, за исключением вступления, должна была быть посвящена сыну этого “демона”, наследнику его мятежных порывов и болезненных падений – бесчувственному сыну нашего века. Это – тоже лишь одно из звеньев длинного рода; от него тоже не останется, по-видимому, ничего, кроме искры огня, заброшенной в мир, кроме семени, кинутого им в страстную и грешную ночь в лоно какой-то тихой и женственной дочери чужого народа.

В третьей главе описано, как кончил жизнь отец, что сталось с бывшим блестящим “демоном”, в какую бездну упал этот яркий когда-то человек. Действие поэмы переносится из русской столицы, где оно до сих пор развивалось, в Варшаву – кажущуюся сначала “задворками России”, а потом призванную, по-видимому, играть некую мессианскую роль, связанную с судьбами забытой Богом и истерзанной Польши. Тут, над свежей могилой отца, заканчивается развитие и жизненный путь сына, который уступает место собственному отпрыску, третьему звену все того же высоко взлетающего и низко падающего рода.

В эпилоге должен быть изображен младенец, которого держит и баюкает на коленях простая мать, затерянная где-то в широких польских клеверных полях, никому не ведомая и сама ни о чем не ведающая. Но она баюкает и кормит грудью сына, и сын растет, он начинает уже играть, он начинает повторять по складам вслед за матерью: "И за тебя, моя свобода, взойду на черный эшафот".

Вот, по-видимому, круг человеческой жизни, последнее звено длинной цепи; тот круг, который сам наконец начнет топорщиться, давить на окружающую среду... вот отпрыск рода, который, может быть, наконец ухватится ручонкой за колесо, движущее человеческую историю.

Вся поэма должна сопровождаться определенным лейтмотивом "возмездия": этот лейтмотив есть *мазурка,* танец, который носил на своих крыльях Марину, мечтавшую о русском престоле, и Костюшку с протянутой к небесам десницей, и Мицкевича на русских и парижских балах. В первой главе этот танец легко доносится из окна какой-то петербургской квартиры – глухие 70-е годы; во второй главе танец гремит на балу, смешиваясь со звоном офицерских шпор, подобный пене шампанского fin de siècle, знаменитой veuve Clicquot... в третьей главе мазурка разгулялась: она звенит в снежной вьюге, проносящейся над ночной Варшавой, над занесенными снегом польскими клеверными полями. В ней явственно слышится уже голос Возмездия».

Хотя и неоконченная, поэма по праву считается шедевром. Путешествие, похороны, посмертная близость к отцу потрясли поэта.

«Да, сын любил тогда отца!» – пишет он в третьей главе, а в письме к матери из Варшавы читаем:

«Все свидетельствует о благородстве и высоте его духа, о каком-то необыкновенном одиночестве и исключительной крупности натуры. Смерть, как всегда, многое объяснила, многое улучшила и многое лишнее вычеркнула».

В прологе поэмы ямб напоминает пушкинский стих. Девятнадцатый век, о котором говорит Блок в первой главе, – это эпоха Бекетова-деда, спокойная, простая, деятельная, с ее либерализмом, милым образом мысли и не менее милым образом жизни. Но очень быстро начинается распад – вокруг человека и в нем самом: исподволь, незаметно, пока еще неощутимо, но уже явственно сказываются его первые признаки. Во внешней жизни все меняется, как в умах, охваченных лихорадочными и бесплодными построениями:

Рожком гorниста – рог Роланда
И шлем – фуражкой заменя...

Но грядет XX век – век комет, мессинского землетрясения, вооружений, авиации и оскудения веры:

> И отвращение от жизни,
> И к ней безумная любовь,
> И страсть и ненависть к отчизне...
> И черная, земная кровь
> Сулит нам, раздувая вены,
> Все разрушая рубежи,
> Неслыханные перемены,
> Невиданные мятежи.

Повествование продолжается. «Демон» бросается на свою добычу, как ястреб, и юная девушка, рожденная для мирной жизни, вырвана из лона семьи.

Во второй главе юный герой бродит по широким набережным синей Невы. Он обращается к проклятому городу, которому однажды суждено исчезнуть:

> О, город мой неуловимый,
> Зачем над бездной ты возник?
> Провидел ты всю даль, как ангел
> На шпиле крепостном...*

* На шпиле Петропавловской крепости.

Здесь слышатся отзвуки пушкинского «Медного всадника», голоса Гоголя и Достоевского. Как и они, Блок стал певцом Петербурга, его тайны, его необычайной судьбы.

Глава XV

Путешествие в Варшаву оказалось для него мучительным. В поезде ему было не по себе, он отвык путешествовать один, ему все труднее и труднее обходиться без Любови Дмитриевны:

«Ничего не хочу – ничего не надо. <...> Все, что я мог, у убогой жизни взял, взять больше у неба – не хватило сил. Заброшен я на Варшавскую дорогу так же, как в Петербург. Только ее со мной нет – чтобы по-детски скучать, качать головкой, спать, шалить, смеяться».

В Варшаве его ждет множество дел. Он встречает вторую жену отца и свою сводную сестру – девушку шестнадцати лет, с которой едва знаком. Блок делит с ней наследство – около восьмидесяти тысяч рублей. Материальные заботы и раньше не особенно обременяли его: в первые годы после женитьбы он жил у матери, в 1907 году после смерти Менделеева им досталось небольшое наследство, и его литературных заработков хватало на жизнь. Но таких денег он еще не получал. Теперь он может жить на широкую ногу, путешествовать, купить старинную мебель, которую облюбовала жена во время их походов по антикварным лавкам.

Блок часто переезжал с квартиры на квартиру, но всегда жил поблизости от реки или каналов, вдали от центра и богатых кварталов. Вода, острова, залив неизменно влекли его; ему нравились подозрительные закоулки, где он блуждал среди портовых и заводских рабочих из предместий, заходил в убогие пивные, где подавали только водку, пиво или чай. Неподалеку отсюда, на северной окраине Петербурга, расположены известные рестораны с цыганами – «лучшие места на свете». Здесь он был завсегдатаем.

Пригородный поезд привозил его в Парголово, Шувалово, на озера. Эти прелестные места летом служили местом отдыха петербургским обывателям, а зимой здесь расстилались роскошные снежные поля, где можно было кататься на лыжах в полном одиночестве. Ночи казались еще светлее, чем в городе, а тишина – еще оглушительней. Иногда он приезжал сюда с Пястом – поэтом-неудачником, но преданным, умным другом и удивительно тонким человеком. После революции этот пламенный и жалкий Дон Кихот станет самым трагическим персонажем литературного Петербурга. Он оставит после себя стихи, которые никто не в силах одолеть, и два тома ценнейших воспоминаний. Пяст боготворил Стриндберга, он ездил в Швецию, чтобы «поцеловать след стопы его, дышать воздухом у его дома». Но ему вечно не везло: когда он приехал, Стриндберг был при смерти и никого не принимал. Опечаленный, разочарованный, без гроша в кармане, Пяст вернулся в Петербург. Он познакомил Блока с книгами великого шведского писателя. Для Блока это было настоящее откровение.

Сводная сестра Ангелина, милая, очаровательная девушка, переселилась в Петербург. Во время войны она умрет от туберкулеза. Воспоминания об отце, которого Блок почти не знал при жизни, не покидают его. Студенты Варшавского юридического факультета создали настоящий культ своего профессора, и Блок был изумлен и счастлив, слыша, как молодые люди с жаром и восхищением говорили о покойном ученом. Стараниями студентов вышел в свет сборник его последних произведений, потом –

другой; эти знаки признания и любви живо трогали Блока.

Появились свободные деньги, и было решено перестроить шахматовский дом, прикупить скотину, сменить управляющего. Шахматово – это его святыня, она не должна исчезнуть, должна сохраниться навек, и, хотя теперь ему здесь скучно, он не желает, чтобы тут воцарилось запустение. Мать и тетка каждое лето проводили в Шахматове. Состояние Александры Андреевны становилось все хуже, эпилептические припадки учащались. Пребывание в лечебнице дало временное облегчение, но она относилась ко всем, особенно к Любови Дмитриевне, с болезненной мнительностью. Жизнь с нею стала невыносимой.

Блок окружил ее нежным вниманием и заботой. Он часто ей писал, держал ее в курсе литературной и политической жизни, рассказывал о своих встречах с женщинами:

«Мама, ко мне вчера пришла Гильда*. Меня не было дома, и она просила меня прийти туда, куда она назначит. Я пошел с чувством скуки, но и с волнением. Мы провели с ней весь вчерашний вечер и весь сегодняшний день. Она приехала специально ко мне в Петербург, зная мои

* Героиня драмы Ибсена «Строитель Сольнес».

стихи. Она писала мне еще в прошлом году иронические письма, очень умные, но совсем не свои. Ей 20 лет, она очень живая, красивая (внешне и внутренне) и естественная. Во всем до мелочей, даже в костюме – совершенно похожа на Гильду и говорит все, как должна говорить Гильда. Мы катались, гуляли в городе и за городом, сидели на вокзалах и в кафе. Сегодня она уехала в Москву...»

И в другом письме:

«В субботу я поехал в Парголово, но не доехал; остался в Озерках на цыганском концерте, почувствовав, что здесь – судьба. И действительно оказалось так. Цыганка, которая пела о множестве миров, потом говорила мне необыкновенные вещи, потом – под проливным дождем в сумерках ночи на платформе – сверкнула длинными пальцами в броне из острых колец, а вчера обернулась кровавой зарей ("стихотворение")».

Он посылает ей книги и журналы, старается облегчить ее жизнь, успокоить вечно расстроенные нервы. Но Александра Андреевна уже не владеет собой; она создает вокруг себя тяжелую, невыносимую атмосферу, и, когда приезжает в Петербург, начинаются бесконечные ссоры с Любовью Дмитриевной, которую она упрекает в беспечности, легкомыслии, любви к театру.

Но прежде всего она не в силах смириться с любовью Блока к жене, с жизненной и постоянно растущей потребностью в ней, тогда как его влечения или страстные влюбленности в других женщин кажутся ей естественными. Присутствие преждевременно состарившейся матери, угрюмой, нервной, угнетает Блока и раздражает Любовь Дмитриевну.

Теперь в Шахматове все перестроено, но Блок и Любовь Дмитриевна мечтают о путешествии в Европу; они хотят побывать во Франции, Бельгии и Голландии. Они проводят месяц в Абервраке, потом приезжают в Париж.

Блок охвачен неясными и противоречивыми чувствами еще сильнее, чем в 1909 году в Италии. Да, видеть «эти древние камни», «приветствовать руины» – прекрасно и трогательно. Но Европа – не только музей, где прогуливаются туристы. Жизнь грохочет в ней, и что за страшная жизнь! Крупп наращивает вооружения; французы думают лишь о том, как отыграться; в Португалии и Италии – землетрясения; влияние Америки все больше сказывается на вкусах и нравах, и это напоминает ухаживания юного боксера за старой аристократкой. Рабочий класс доведен до полной нищеты, а беззаботность верхушки ничуть не меньше, чем в проклятом и дорогом отечестве. Быстрое развитие кинематографа, автомобилизма, авиации кажется ему предвестием ужасной катастрофы – войны, упадка культуры? – он даже не может в точности сказать, чего именно. Воздух пахнет войной, и Блоку кажется, что она неминуема; Европа готова сражаться.

«Несмотря на то, что мы живем в Бретани и видим жизнь, хотя и шумную, но местную, все-таки это – Европа, и мировая жизнь чувствуется здесь гораздо сильнее и острее, чем в России [отчасти благодаря талантливости, меткости и обилию газет (при свободе печати), отчасти благодаря тому, что в каждом углу Европы уже человек висит над самым краем бездны (“и рвет укроп – ужасное занятье!” – как говорит Эдгар, водя слепого Глостера по полю)* и лихорадочно изо всех сил живет “в поте лица”]. “Жизнь – страшное чудовище, счастлив человек, который может, наконец, спокойно протянуться в могиле”, так я слышу голос Европы и никакая работа и никакое веселье не может заглушить его. Здесь ясна вся чудовищная бессмыслица, до которой дошла цивилизация, ее подчеркивают напряженные лица и богатых, и бедных, шныряние автомобилей, лишенное всякого внутреннего смысла, и пресса – продажная, талантливая, свободная и голосистая...

* *Шекспир У.* Король Лир.

...Все силы (Англии) идут на держание в кулаке колоний и на постройку “супердредноутов”. <...> Вильгельм ищет войны... французы поминают лихом Наполеона III и собираются “mourir pour la patrie”*. Все это вместе напоминает оглушительную и усталую ярмарку...»

Несколько раз он посещает Лувр. Но ему не удается посмотреть «Джоконду» – ее только что похитили. «В Лувре – глубокое запустение. <...> Печальный, заброшенный Лувр – место для того, чтобы приходить плакать и размышлять о том, что бюджет морского и военного министерства растет каждый год, а бюджет Лувра остается прежним уже 60 лет. Первая причина (и единственная) кражи “Джоконды” – дредноуты».

Возлюбленное отечество, как всегда, встречает его жандармами и хмурым небом. В поезде всю ночь он слышит тревожные, жуткие разговоры, каких за границей никто не ведет. «Сразу родина показала свое и свиное, и божественное лицо... Вот и Россия: дождик, пашни, чахлые кусты. Одинокий стражник с ружьем за плечами едет верхом по пашне...»

* «Умереть за родину» *(фр.). (Примеч. пер.)*

Глава XVI

Из первого путешествия в Европу Блок привез «Итальянские стихи», из второго – любовь к старым бретонским легендам, интерес к Средним векам и замысел поэмы, которая позднее выльется в драму «Роза и крест».

В его стихах не осталось никакой мистики. С 1905 года начинается реакция против «неясного», «неопределенного», «зыбкого». За пять лет Блок победил «проклятие абстрактного», чему способствовал кризис символизма. Он открывает реальность – не реальность Вячеслава Иванова, но совершенно простую, непосредственную, ту, что он видит в своей стране и в мире, и она оказывает на него жестокое, но благотворное воздействие.

В первые годы своей поэтической жизни Блок во всем видит лишь символы. Он встречает Белого, и на время их судьбы переплетаются:

Молча свяжем вместе руки,
Отлетим в лазурь!

Но Блок шире господствующих поэтических школ. Если Белый ищет источник вдохновения в немецкой философии, а Иванов – в греческой, то Блок следует за своей собственной мыслью. Он порывает с Белым и, лишь ненадолго поддавшись обаянию Иванова, точно так же отдаляется и от него.

После 1910 года «башня» Иванова постепенно утрачивает былую притягательность. Белый увлекся антропософией, Брюсов превратил свою поэзию в бесплодный и безжизненный эксперимент. Мережковский и Гиппиус видят в стихах и прозе рупор для своих политических и религиозных идей. Люди трезвые начинают поговаривать о кризисе символизма. Остается один крупный поэт – Александр Блок.

Впрочем, после 1910 года его уже не назовешь символистом, хотя его первые символистские стихи так и остались для некоторых непревзойденными. Постепенно он утрачивает юношескую чистоту, таинственное очарование, ту самую мистику; он уже не ищет в окружающем мире знаков и соответствий с миром его души. Уже через год после женитьбы он твердо сформулировал свой отказ идти по этому темному пути. В своих записных книжках 1906 года он пишет: «Из мистики вытекает истерия...» и дальше: «...сильная душа пройдет насквозь и не обмелеет в ней, так как не убоится здравого смысла. А слабая душа, вечно противящаяся “здравому смыслу” (во имя нездорового смысла), потеряет и то, что имела.

Крайний вывод религии – полнота, мистики – косность и пустота».

Какое неожиданное признание в устах бывшего «аргонавта»!

Но еще более знаменательные слова были написаны в 1910 году:

«Символизм (миги, отдельные соответствия) – юношеское. Мы уже хотим другого: планомерное искание внутреннего синтеза своего миросозерцания».

Он восстает против «абстрактного», давно уже тяготившего его. Кажется, что это говорит другой человек:

«Я чувствую, что у меня, наконец, на 31-м году определился очень важный перелом, что сказывается и на поэме, и на моем чувстве мира. Я думаю, что последняя тень “декадентства” отошла. Я определенно хочу жить и вижу впереди много простых, хороших и увлекательных возможностей – притом в том, в чем прежде их не видел.

С одной стороны – я “общественное животное”, у меня есть определенный публицистический пафос и потребность общения с людьми – все более по существу. С другой – я физически окреп и очень серьезно способен относиться к телесной культуре, которая должна идти наравне с духовной. Я очень не прочь не только от восстановлений кровообращения (пойду сегодня уговориться с массажистом), но и от гимнастических упражнений. Меня очень увлекает борьба и всякое укрепление мускулов, и эти интересы уже заняли определенное место в моей жизни; довольно неожиданно для меня (год назад я был от этого очень далек) – с этим связалось художественное творчество. Я способен читать с увлечением статьи о крестьянском вопросе и... пошлейшие романы Брешки-Брешковского, который... ближе к Данту, чем Валерий Брюсов. Все это – совершенно неизвестная тебе область... Настоящей гениальностью обладает только один из виденных мной – голландец Ван-Риль. Он вдохновляет меня для поэмы гораздо более, чем Вячеслав Иванов. Впрочем, настоящее произведение искусства в наше время (и во всякое, вероятно) может возникнуть только тогда, когда 1) поддерживаешь непосредственное (не книжное) отношение с миром и 2) когда мое собственное искусство роднится с чужими (для меня лично – с музыкой, живописью, архитектурой и гимнастикой)».

И в 1912 году он вновь возвращается к той же теме:

«Лучше вся жестокость цивилизации, все “безбожие” “экономической” культуры, чем ужас призраков – времен отошедших; самый светлый человек может пасть мертвым пред неуязвимым призраком, но он вынесет чудовищность и ужас реальности. Реальности надо нам, страшнее мистики нет ничего на свете».

В следующем году, говоря о старых и новых литературных школах, он пишет:

«Пора развязать руки, я больше не школьник. Никаких символизмов больше – один, отвечаю за себя, *один* – и могу еще быть моложе молодых поэтов “среднего возраста”, обремененных потомством и акмеизмом».

Ни эти записи в дневнике, ни письмо матери, написанное в феврале 1911 года, не были известны при жизни Блока. Когда их опубликовали в 1932 году, Белый был потрясен; он заговорил о предательстве. Возможно, он был не далек от истины – Блок действительно предал «дело символизма». Но лишь ценой этого предательства сумел он освободиться, подняться до уровня национального поэта и занять место рядом с Пушкиным, Тютчевым, Лермонтовым. Он всем своим творчеством откликался на голос своего народа, черпал вдохновение из родных источников, прозревал и предсказывал судьбы родины.

Хотя и отдалившись от единомышленников, он продолжает бывать в литературных салонах: у Сологуба, у Мережковских, к которым испытывает то нежность и почтение, то отвращение. В один из приездов в Москву он вновь встречается с Белым. «Через шесть лет страданий» тот женится на юной девушке с мечтательными глазами и длинными локонами. С большой простотой Блок примиряется с Сергеем Соловьевым, который принял священный сан и стал ему совершенно чужим. К Брюсову он не испытывает ничего, кроме равнодушия, а молодые, ворвавшиеся в литературу этой зимой 1911–1912 года, ему не интересны.

Он почти не пьет. Женщины проходят чередой, не оставляя воспоминаний. Сам он называет эти годы мрачными, серыми, нескончаемыми. Но стихи, написанные тогда, прекрасны, вдохновенны, глубоки; они достигли невиданного совершенства. Из старинных французских преданий рождается его драма «Роза и крест», где есть дивная песня Гаэтана: «Радость – Страданье одно».

Тем не менее эти годы кажутся ему пустыми. Здоровье его пошатнулось. Может быть, именно поэтому он так восхищается физической силой и борцами? Он страдает от цинги, и его неврастения тревожит врачей. Он лечится, много времени проводит дома, хотя скучает, несмотря на присутствие Любы. Ее снова влечет театр.

Толстой умер, его смерть оставила неизгладимый след в жизни страны. В литературе отчетливо выделяются два направления: первое в основном представляют прозаики (Андреев, Горький) – исключительно пестрое по форме, насыщенное марксистскими идеями. К нему примыкают стихотворцы – наследники некрасовского афоризма: истинные граждане, но посредственные поэты. Ко второму направлению (символисты и им подобные), которое марксисты прозвали «декадентским», принадлежат такие поэты и романисты, как Гиппиус и Сологуб. Если между символистами порой ведется непримиримая борьба, то между марксистами и декадентами нет ничего общего, им не о чем спорить. У Андреева и Горького свои журналы, свои читатели, свой успех – уже значительный.

Но в эти предвоенные годы самым любимым поэтом остается Блок. Небывалая слава Бальмонта уже померкла, Брюсов также снискал большую известность, но его поэзия непонятна широкой публике; лишь знаменитое стихотворение в одну строку «О закрой свои бледные ноги» приводило толпу в неистовство. Блок менее плодовит, чем Бальмонт и Брюсов, вокруг него меньше шумихи, он меньше играет на публику. Когда он читал свои стихи, то ни на кого не смотрел, но его слушали и любили.

В Москву он приезжал редко; жизнь, так резко непохожая на петербургскую, выбивала его из колеи. Как пять лет назад говорили о Белом и Блоке, так теперь связывали имена Белого и Брюсова. Никто из учеников последнего не желал признать его упадка. Но поэзия умирала в его стихах, истощенных сухим экспериментом. Для него существовали лишь редкие рифмы и необычный размер. Ради них он приносил в жертву свой талант и саму жизнь. Верный и изысканный вкус, юношеский пыл – все исчезло. Теперь он мечтал написать книгу стихов «всех времен и народов», объединив под одной обложкой всевозможные подражания.

Рядом с ним Белый по-прежнему оставался поэтом и теоретиком символизма. Этот необыкновенный человек с проблесками гениальности, но чаще – невыносимый, а подчас и неудобочитаемый, оставил бесценные мемуары о своем времени. В 1922 году в Берлине он начал писать воспоминания о Блоке. В ту пору я часто виделась с ним: днем он писал, а вечером, перед тем как переписать написанное, зачитывал текст нам. Чтобы рассказать о Блоке, он сумел отыскать самые точные слова: человечные, умные и добрые. Его воспоминания, опубликованные в четырех номерах журнала «Эпопея» (русский журнал, издававшийся в Берлине), стали огромным литературным событием. Но Белый вернулся в Россию. К тому времени были опубликованы дневники и переписка Блока. Отдельные страницы, где Блок отрекается от символизма, мистики «зорь», привели Белого в негодование. Открещиваясь от своих воспоминаний 1922 года, он пишет другие, совершенно искаженные. Имея перед собой два издания «Воспоминаний», столь непохожих друг на друга, читатель не знает, чему верить. Одно очевидно: если мы хотим узнать Блока, каким его видел Белый, нужно довериться берлинским воспоминаниям, но если мы хотим узнать Белого, каким он был в России в 1930–1935 годах, нужно прочесть вторые «Воспоминания». Белый предстает в них глубоко несчастным и истерзанным человеком; он утверждает, что всегда был революционером крайне левого толка, которого такие «барчуки», как Блок, могли лишь презирать. Он восстает против буржуазной морали. Он сожалеет о юности, когда писал никому не нужные статьи и изнурял себя в спорах о Канте, Риккерте, тогда как другие, например Блок в ореоле юности и славы, позволяли себе роскошь писать стихи.

Статей он в самом деле написал немало. Увесистые тома, оставленные Белым, – «Символизм», «Арабески» – состоят из острых, зачастую весьма интересных размышлений «о символизме, о фетишизме, о реализме, об иллюзионизме», о различных формах русского стиха.

С 1907 по 1912 год он с головой окунается в бурную и беспорядочную литературную жизнь Москвы: посещает собрания, где студенты, академики, светские дамы, политики то курят ему фимиам, то потешаются над ним. Высокий, мускулистый, исполненный жизненных сил, он вездесущ: с развевающимися волосами, вздыбленный, свирепый и дикий, с лицом одновременно красивым и уродливым, с застывшей улыбкой и необычайно светлыми, почти белесыми глазами. У него нет личной жизни, личного счастья. То он сражается вместе с Брюсовым против врагов символизма, то произносит речь о неокантианстве. Он присутствует на всех сборищах, в клубах, редакциях, салонах. Он в центре внимания. Однажды он сам признался: «Шумим, братец, шумим...»

Вместе с тем порой на него находят страшные приступы отчаяния. Он пишет повесть «Серебряный голубь», потом – роман «Петербург». В обеих книгах слышатся отголоски его любви к Любови Дмитриевне, той жизненной драмы, которая развела их с Блоком. Прототип главного героя «Петербурга» – сам автор. Он беспощадно судит себя, впрочем, он никогда себя не щадил. «У меня всегда была идиотская улыбка», – сказал он мне однажды в 1923 году. Он никогда не пользовался успехом у женщин; как все писатели, он получал письма, признания в любви, но все связи мгновенно обрывались. «Запомните, – сказал он мне однажды, – у Андрея Белого никогда не было женщины, которая бы его действительно любила. У Белого не было настоящей подруги».

Все же он встречает Асю Тургеневу – юную барышню с чистым лицом. Она станет его женой. С нею он совершит путешествие в Африку, Скандинавию, во Францию и Германию. Во время войны она его покинет, и он никогда не сможет с этим смириться. Отныне в его присутствии нельзя произносить два имени: Люба и Ася.

Все его чувства чрезмерны. К одному он питает неутолимую ненависть, видя в нем худшего врага, за другого готов жизнь отдать. Временами он становится кротким, смирным, чистым, жалким. Потом его лицо искажается жуткой улыбкой, он начинает рвать все, что попадается под руку, во всем видит ложь и предательство.

Прошли годы после разрыва с Блоком: для Белого это были «годы страданий», для Блока – не менее страшная, но куда более плодотворная пора. В 1909 году Белый потрясен и восхищен циклом стихов «На поле Куликовом», он опять сближается с Блоком. Между ними вновь завязывается дружба. Белый с женой путешествуют; из-за границы от него приходит множество длинных писем. Конечно, это уже не прежняя дружба и братство эпохи «зорь»; теперь появились запретные темы, которых нельзя даже касаться. Их пути окончательно разошлись, и зарождающееся у Белого увлечение антропософом Штейнером лишний раз это доказывает. Но Белый одинок, он нуждается в Блоке, который обогащает его своим неповторимым миром. А Блок любит в Белом свою юность – самую счастливую и прекрасную пору жизни.

Глава XVII

Летом 1912 года Мейерхольд и его труппа дали несколько представлений в Териоках – небольшом финском водном курорте в двух часах езды по железной дороге от Петербурга. Артисты сняли на все лето просторный загородный дом, окруженный огромным парком. Именно сюда почти каждую неделю Блок приезжает к жене. Играют Стриндберга, Гольдони, Мольера, Бернарда Шоу. Любови Дмитриевне поручены ответственные роли, она в восторге. Она любит общество, веселье, переезды, оперу, Вагнера, танцевальные вечера Айседоры Дункан, всяческую жизнь и движение. Ее счастье радует Блока. Его чествуют в Териоках, но он все сильнее ощущает усталость.

Его нынешняя квартира расположена в западной части города, на изгибе реки Пряжки, в месте, которое немного напоминает Амстердам. Мирно текущая меж зелеными берегами Пряжка выглядит по-деревенски уютно. Летом в ней купаются ребятишки, а зимой здесь пусто и тихо. Блок писал матери: «Вид из окон меня поразил. Хотя фабрики дымят, но довольно далеко, так что не коптят окон. За эллингами Балтийского завода, которые расширяют теперь для постройки новых дредноутов, виднеются леса около Сергиевского монастыря (по Балтийской дороге). Видно несколько церквей (большая на Гутуевском острове) и мачты, хотя море закрыто домами». В километре отсюда величественная, широкая Нева впадает в залив. Мачты то отдаляются, то приближаются. Все пропитано портовыми запахами, звонят монастырские колокола, воздух дрожит. Блок любит эту квартиру, он останется здесь до самой смерти. К сожалению, Любовь Дмитриевна приезжает редко, она по-прежнему в Териоках, в вихре театральной жизни. В пьесе Стриндберга «Преступление и преступление» она играет роль Жанны и пользуется громким успехом. Блок первым восхищается ею. «Люба говорила наконец своим, очень сильным и по звуку и по выражению голосом, который очень шел к языку Стриндберга. Впервые услышав этот язык со сцены, я поразился: простота доведена до размеров пугающих: жизнь души переведена на язык математических формул».

Мейерхольд работает в петербургских Императорских театрах, главным образом в Александринском; его режиссерский талант всеми признан, перед ним распахиваются все двери. Постановка пьесы Стриндберга – его большая удача; дочь шведского писателя, побывавшая проездом в Териоках, познакомилась с Блоком и Любовью Дмитриевной.

В редкие свободные дни Любовь Дмитриевна приезжает в Петербург, где ее ждет Блок – нетерпеливый и счастливый. Он готовится к этой встрече, покупает цветы: он словно наводит порядок в своей душе. Люба приезжает – оживленная, радостная; они весело ужинают и болтают до поздней ночи.

«Вечером принес Любе, которая сидит дома в уюте, горлышко побаливает, шоколаду, пирожного и забав – фейерверк: фараоновы змеи, фонтаны и проч.».

Но иногда он ждет напрасно:

«В моей жизни все время происходит что-то бесконечно тяжелое. Люба опять обманывает меня. На основании моего письма, написанного 23-го, и на основании ее слов я мог ждать сегодня или ее, или телеграмму о том, когда она приедет. И вот – третий час, день потерян, все утро – напряженное ожидание, и, значит, плохая подготовка для встречи».

Смеркается. Отблески пожарищ озаряют небо. Мятежники то и дело поджигают судостроительные верфи. С корабля «Конде», на котором только что прибыли французские министры, доносится орудийный салют.

Его беспричинная усталость все усиливается; тело сохраняет видимость молодости и здоровья, но его явно что-то точит. Целыми часами он недвижно лежит в постели, следя рассеянным взглядом за мухами. Драгоценные часы утекают, как вода в песок:

> День проходил, как всегда,
> В сумасшествии тихом.
>
> *Из цикла «Страшный мир»*

Он поздно встает и начинает день с чтения газет. Их распирает от новостей: реакция, революция, угроза войны, глупость европейской дипломатии, надменная и вероломная Германия, ограниченная и самодовольная Франция, нерешительная и враждебно настроенная Англия! Потом он берется за бесчисленные журналы: Мережковский проповедует в пустыне. Инстинкт самосохранения заставляет Брюсова сблизиться с футуристами, но они не обращают на него внимания, несмотря на все его потуги. Ультраправые пережевывают свои замшелые лозунги и видят спасение самодержавия в виселице. Изо дня в день ему приходится вести обширную переписку: издатели донимают его письмами. Белый настойчиво просит денег на новый журнал, который он возглавляет. Он мечтает воскресить истинный символизм эпохи 1904 года, вместе с Блоком и Вячеславом Ивановым надеется противостоять всему миру.

«Мой дорогой Борис, – отвечает ему Блок, – мое письмо разошлось с Твоим, это мне более чем досадно. Если бы я и был здоров, я сейчас не владею собой, мог бы видеть Тебя только совсем отдельно и особенно без Вячеслава Иванова, которого я люблю, но от которого далек.

Вы сейчас обсуждаете журнал. Я менее чем когда-либо подготовлен к журналу. Быть сотрудником, прислать статью я могу. Но я один, измучен, и особенно боюсь трио с [В. Ивановым]. Впрочем, я многого боюсь, я – один.

В письме в Москву я Тебе писал, почему мне страшно увидеться даже с Тобой одним, если бы я был здоров. Кроме того, писал, что нахожусь под знаком Стриндберга.

...Я продолжаю писать очень мало... но и сквозь тяжелое равнодушие, которое мной овладело эти дни, постараюсь написать.

Прошу Тебя, оставь для меня Твой след в Петербурге; это еще причина, по которой я хотел бы, чтобы Ты увиделся с Пястом. Через него Ты коснешься моего круга, что важно нам обоим. Атмосфера В. Иванова сейчас для меня немыслима».

На все эти письма приходится отвечать, и иногда Блок пишет до восьми писем в день; потом он держит корректуру третьей книги стихов. Она вот-вот выйдет в московском издательстве «Мусагет», где сотрудничает Белый. Через силу он отделывает несколько стихотворений, тем не менее их причисляют к его лучшим произведениям. Они просты по форме и мелодичны. Некоторые слова он употребляет таким образом, что они становятся «блоковскими», и его размеры столь необычны, что по ним сразу можно узнать его почерк. Поэзия Блока 1908–1914 годов своей формой и содержанием повлияла на два поэтических поколения.

Но день продолжается:

Весь день – как день: трудов исполнен малых
И мелочных забот.

Из цикла «Страшный мир»

Часто он обедает с матерью; она вечно недомогает и не в духе. Потом начинают стекаться навязчивые посетители: свободные художники, жаждущие совета, поэты со стихами или сестра Ангелина – к ней он искренне привязан, но от нее неотделим тесный обывательский мирок, наводящий на него ужас. Женщины тоже не дают ему покоя: признания, упреки, сцены... Он терпеть не может всю эту женскую глупость, болезненное самолюбие, чувствительность, «внутреннее ослепление», и решает положить конец утомительным связям: «Все известно заранее; все скучно, не нужно ни одной из сторон. И все они одинаковы, что в шестнадцать лет, что в тридцать. Что за требования, сколько на них уходит времени!»

Наконец к вечеру он выходит, прогуливается, заходит в редакцию «Тропинки» – журнала для детей, где он сотрудничает. Этот журнал возглавляет Поликсена Соловьева – сестра философа. Ему по душе новые педагогические взгляды этой незаурядной женщины. Нередко ему приходится слушать акмеистов, выступающих в литературных салонах. Объединившись вокруг своего лидера Гумилева, акмеисты утверждают, что всё просто и все слова должны значить только то, что они значат, и ничего больше. Блока отталкивают их теории и роскошный журнал «Аполлон». Другие молодые поэты – эгофутуристы и футуристы, громогласные, привлекающие всеобщее внимание, – начинают пробивать себе дорогу. Он все больше и больше отдаляется от этой суеты.

Он возвращается домой пешком. Рабочие выходят из заводских ворот, покупают водку и торопливо распивают прямо на улице; кто-то бьет девчонку. Он проходит мимо богатых кварталов; на Невском прохаживаются шикарные дамы в меховых шубах, в драгоценностях, с пустыми взглядами и двойными подбородками. «Но слегка дернуть, и все каракули расползутся, и обнаружится грязная, грязная морда измученного, бескровного, изнасилованного тела». Дома его мучат неотвязные мысли. Кухарка, горничная, погрязшие в невежестве, их пошлость ужасает его. «...Кровь стынет от стыда и отчаянья. Пустота, слепота, нищета, злоба. Спасение – только скит; барская квартира с плотными дверьми – еще хуже.

Конечно, я воспринимаю так, потому что у меня совесть не чиста...»

Он ужинает с друзьями. Они болтают, обсуждают последнюю статью Брюсова: «Печальная, холодная, верная – и всем этим трогательная заметка Брюсова обо мне. Между строками можно прочесть: “Скучно, приятель? Хотел сразу поймать птицу за хвост?” Скучно, скучно, неужели жизнь так и протянется – в чтении, писании, отделываньи, получении писем и отвечании на них? Но – лучше ли “гулять с кистенем в дремучем лесу?”»*

Друзья прощаются с ним, иногда они выходят вместе. Ненадолго показавшись в бурном собрании, где говорят о литературе, политике, религии, он берет извозчика и мчится в ресторан или варьете.

«Варьете. Акробатка выходит, я умоляю ее ехать. Летим, ночь зияет. Я вне себя. Тот ли лихач – первый, или уже второй, – не знаю, ни разу не видел лица, все голоса из ночи. Она закрывает рот рукой – всю ночь. Я рву ее кружева и батист, в этих грубых руках и острых каблуках – какая-то сила и тайна. Часы с нею – мучительно, бесплодно. Я отвожу ее назад. Что-то священное, точно дочь, ребенок. Она скрывается в переулке...»

На рассвете появляются утренние газеты. Утонул «Титаник». Его охватывает злая и пьянящая радость: «...Есть еще океан!»

Светает. Решительно никто вокруг не желает замечать, над какой пропастью повисла Россия, вся литература и он вместе со всеми!

Он отвечает на очередное письмо Белого:

* Из стихотворения Н. Некрасова «Огородник». *(Примеч. пер.)*

«...Над печальными людьми, над печальной Россией в лохмотьях он [Иванов] с приятностью громыхнул жестяным листом...»

Он несправедлив к Иванову: с присущей ему изощренностью и хитростью тот борется с акмеизмом, который претит и самому Блоку. Но Блок не любит борьбу, он ни к чему не стремится. Он знает, что для «лучших» (Белый, Ремизов), как и для него, нет никакого выхода, что близкие ему люди на пороге безумия. «Я знаю, что нужно делать, – говорит он. – Но еще слишком рано, чтобы покидать этот мир – такой прекрасный и такой страшный».

Его все страшит, все ужасает: лица на улицах, в трамваях, лицо прислуги: «Я вдруг заметил ее физиономию и услышал голос. Что-то неслыханно ужасное. Лицом – девка как девка, и вдруг – гнусавый голос из беззубого рта. Ужаснее всего – смешение человеческой породы с неизвестными низшими формами (в мужиках это бывает вообще, вот почему в Шахматово тоже не могу ехать). Можно снести всякий сифилис в человеческой форме; нельзя снести такого, что я сейчас видел, так же как, например, генерала с исключительно жирным затылком... То и другое – одинаковое вырождение, внушающее страх – тем, что человеческое связано с неизвестным».

Он страдает от уродства и повсюду натыкается на него. Все, что его окружает, кажется ему грязным, мерзким, пугающим. Где-то из воды вытащили труп; вот кашляет маленькая нищенка-замарашка; чуть поодаль бродяга пьет грязную воду из жестянки.

К счастью, у него есть Люба. Она оглушает его театральными сплетнями. Он восхищенно ловит каждое ее слово, его охватывает желание увидеть ее на сцене, но втайне от нее. Она рассказывает, что дела идут не блестяще: за пантомимы выручили триста рублей за вечер, а за Гольдони – только тридцать; говорит о Мейерхольде и его новаторских замыслах. Но тут Блок не может сдержать раздражения; он пытается втолковать ей, что «модернисты» их разделяют, что они пусты, в них нет ничего значительного и истинного. Непонятно, он и в самом деле так думает или в нем говорит ревность? Все, что связано с театральной жизнью Любы, вызывает у него беспокойство. Он утверждает, что в искусстве Мейерхольд – попросту соглашатель, и это сильно огорчает Любовь Дмитриевну. «Я бы хотел жить, если бы знал как», – признается он. Она его не понимает. Тогда он ей рассказывает, что весь город судачит о них, а друзья спрашивают, собираются ли они разводиться.

Но она рядом! Он не хочет ничего слышать, он уже не один, их двое, и он счастлив этим. Однажды вечером, вместо того чтобы, как нередко бывает, писать стихи к Любе, он переписывает в свой дневник стихи Каролины Павловой*:

Ты все, что сердцу мило,
С чем я сжился умом:
Ты мне любовь и сила, –
Спи безмятежным сном!

Ты мне любовь и сила,
И свет в пути моем;
Все, что мне жизнь сулила, –
Спи безмятежным сном.

Все, что мне жизнь сулила
Напрасно с каждым днем:
Весь бред младого пыла, –
Спи безмятежным сном.

Судьба осуществила
Все в образе одном,
Одно горит светило, –
Спи безмятежным сном!

«Серенада»

* 1810–1879 гг.

Глава XVIII

Навеянная старинными бретонскими и лангедокскими легендами, драма Блока «Роза и крест» была задумана как балетное либретто: предполагалось, что Глазунов напишет к нему музыку. Потом замысел был изменен; Блок думал об опере и принялся над ней работать. Но, услышав написанное, мать и друзья в один голос вскричали: «Роза и крест» не опера, а драма; Бертран – чисто драматический герой. Блок дал себя убедить, переделал свое сочинение, изменил интонацию и развязку, которые ему не нравились.

В то время Ремизов свел его с Михаилом Терещенко*, умным, образованным и сказочно богатым молодым человеком, который станет просвещенным меценатом молодых писателей и поэтов. Михаил Терещенко хочет издавать журнал, основать издательство, помочь Ремизову, Сологубу, Белому и Блоку завоевать внимание более широкой публики. Две его сестры – деятельные, энергичные барышни – поддерживают его в этих начинаниях.

Исполненный рвения, Михаил Терещенко отныне неразлучен со своими новыми друзьями, он возит Ремизова и Блока обедать на Острова. Вечером единомышленники встречаются вновь, весело болтают, спорят, и у них рождаются бесконечные замыслы. Эта дружба приносит Блоку благодатное успокоение, и он ее ценит. Терещенко торопит Блока, Ремизов его подбадривает, так он и заканчивает «Розу и крест».

Сюжет ее чрезвычайно прост: несчастный рыцарь Бертран любит владелицу замка Изору, за которой ухаживает юный паж – самоуверенный повеса. Но все мысли Изоры обращены

* Михаил Иванович Терещенко (1886–1956) – владелец издательства «Сирин», где вышел «Петербург» Белого. Министр финансов, затем министр иностранных дел Временного правительства.

к одному труверу, хотя она ничего не знает о нем, кроме единственной песни. Ее сердце принадлежит ему, и она мечтает его найти. Великодушный Бертран отправляется на поиски: объездив всю Бретань, он находит Гаэтана, сложившего любимую песню Изоры. Но это полуслепой старик. Бертран привозит его в Лангедок.

В замке устраивают рыцарский турнир. Изора знает, что ее трувер, поющий «Радость – Страданье одно», где-то рядом. Турнир начинается воинственной песней менестреля, а после любовной баллады Гаэтан исполняет свою песню. Изора видит его и понимает, что все ее ожидания были напрасны. Рыцарь-Несчастье знает, что его дама никогда его не полюбит; под покровом ночи он помогает юному пажу проникнуть в спальню госпожи и кончает с собой под ее окнами.

Михаил Терещенко бредит этим замыслом, Блок становится ему еще дороже. Они подолгу обсуждают возможность постановки. Блок слегка увлечен одной из сестер Терещенко. Он встречает у этих молодых, одаренных, пылких, приятных людей то понимание, в котором так нуждается. Он по-прежнему замкнут и все еще ищет случайных встреч. Но в Михаиле Терещенко столько жизни, столько задора! Блок не зависит от него материально – в их дружбе царит полная свобода. На смену прежнему увлечению цирковыми борцами пришло новое: Блока приводят в восторг, чаруют и влекут русские горки. Ему хочется приобщить Терещенко к этой новой забаве, и он чуть ли не силой приводит его в лунапарк. В этом шумном и невеселом месте они беседуют о самых серьезных вещах:

«Со студии перешли на общий разговор. Об искусстве и религии; Терещенко говорит, что никогда не был религиозным, и все, что может, думает он, давать религия, дает ему искусство... Я стал в ответ развивать свое всегдашнее: что в искусстве – бесконечность, неведомо "о чем", по ту сторону всего, но пустое, гибельное, может быть, то в религии – конец, ведомо "о чем", полнота, спасение... И об искусстве: хочу ли я повторить или вернуть те минуты, когда искусство открывало передо мной бесконечность? Нет, не могу хотеть, если бы даже сумел вернуть. Того, что за этим, нельзя любить... я спорил, потому что знал когда-то нечто большее, чем искусство, т. е. не бесконечность, а конец, не миры, а Мир; не спорил, потому что утратил То, вероятно, навсегда, пал, изменил, и теперь, действительно "художник", живу не тем, что наполняет жизнь, а тем, что ее делает черной, страшной, что ее отталкивает».

Но где и как ставить «Розу и крест»? Вспомнили о Дягилеве, но потом Блок решает прочесть драму Станиславскому. Так начинается долгая и тягостная история безуспешных попыток поставить пьесу. Предпочитавший реалистический, психологический театр, Станиславский остался равнодушен к драме, которую скорее можно назвать поэмой, нежели театральной пьесой. Все же он не отказывает Блоку, и тот целый год надеется, что ее поставят, но время летит, и ничего не происходит. В 1916 году его вызывают в Москву; актеры разучивают роли, утрясаются последние мелочи, и Блок уже в радостном ожидании. Но революция 1917 года кладет конец всем этим надеждам.

Блок глубоко огорчен. С первой же встречи со Станиславским он понял, что этот человек по своему характеру и складу принадлежит другому миру и не способен постичь его поэзию. Его отношение к театру довольно противоречиво. Во времена «Балаганчика» новый театр Мейерхольда казался ему непревзойденным; в 1912 году – из-за Любы – он отошел от него. Художественный театр его озадачивает и приводит в недоумение: что-то в нем кажется безнадежно устаревшим, безжизненным. В 1919 году Блок вернется в театр, но на сей раз ради заработка.

В издательстве Михаила Терещенко выходят сочинения Ремизова и Сологуба. В Москве Белый лихорадочно работает над романом, но денежные заботы не дают закончить начатую работу. Зная о стесненных обстоятельствах друга, Блок посылает ему пятьсот рублей и убеждает Терещенко издать «Петербург» – одно из самых необыкновенных прозаических произведений, вышедших накануне Первой мировой войны.

Блок и Михаил Терещенко не вылезают из букинистических магазинов; у них внезапно проснулась страсть к первоизданиям XVIII и XIX веков, и они повсюду рыщут в надежде откопать какой-нибудь раритет. Они старательно обшаривают каждую букинистическую лавочку на Васильевском острове. Но приближается лето, Терещенко уезжает из Петербурга, Блок и Любовь Дмитриевна собираются провести месяц на побережье Средиземного моря, в стране басков. А когда Любовь Дмитриевна чего-то хочет, все становится ясным, простым, легким.

В Гетари дни текут незаметно и беспечно. Они купаются, ездят верхом. У воздуха и моря особый, незнакомый привкус. Природа здесь пышная, люди беззаботные, солнце щедрое, палящее. Как тяжело расставаться с этим чудесным, пленительным краем! Но Любовь Дмитриевна должна вернуться в театр, а он – к неотложным делам. Приходится возвращаться. Его ждет новая любовь.

В Петербурге оперы шли в двух разных театрах: Мариинском и Театре музыкальной драмы.

Репертуар в них почти одинаковый, но в Театре музыкальной драмы декорации современнее, актеры моложе и иная манера игры. В ту пору этот театр был очень популярен, зрители в нем – проще и серьезнее, чем в Императорских театрах.

Именно здесь пела Любовь Дельмас. Ее Кармен вызывала рукоплескания. Высокая, худощавая, с рыжими волосами, зелеными глазами, необыкновенной осанкой. Блок влюбляется в нее с первого взгляда. Новелла Мериме, музыка Бизе слились в один пламенный, страстный образ и заставили его забыть о любимой цыганщине. Ее плечи, горделивая осанка, огненные волосы и прежде всего низкий и жаркий голос воспеты в его пылких и печальных стихах. Один из циклов его третьей книги, «Кармен», посвящен этой пленительной и блестящей женщине, в которую он целых два года был страстно влюблен. В стихах Блока предстает своеобразная, роковая, жестокая женщина, но в жизни она поведет себя иначе. Она не оставит Блока до его смерти, будет ему нежным и преданным другом. Ее красота, выдержка, простота, уравновешенность, почти материнская забота вносят мир в его мятущуюся душу. «Пылкая испанка» станет его ангелом-хранителем.

Эта любовь, столь непохожая на его прежние увлечения, открыла Блоку грустную истину: молодость кончилась. Любовь к Волоховой – цыгане, безумства, музыка, белые ночи, бури, наконец разрыв! Ныне же утихшая страсть превратилась в преданную дружбу, а его восторженные стихи непонятным образом уживались с мирными прогулками, тихими вечерами с Дельмас. Эта тонкая и умная женщина понимала и угадывала всю мучительную сложность Блока.

Цикл «Кармен» составляет всего лишь небольшую часть третьей книги стихов. Новая и необычная для него тема возникает в стихах 1908–1914 годов: Россия.

«И с миром утвердилась связь», – пишет Блок в 1912 году. И это воистину было так!

Глава XIX

Третья книга стихотворений Блока – лучшее, что было создано в русской поэзии, величайшее, что появлялось в ней после смерти Тютчева в 1873 году. Никогда еще поэт не достигал такой глубины мысли, такого совершенства формы, такой искренней интонации. Его прямой и благородный дар, его бурный лирический гений, его жажда истины творят шедевры.

Отвращение и любовь к жизни, неприязнь к людям и тяга к ним, тщета искусства и необходимость его – все смешалось, все причиняло боль, и страдания Блока были тяжки. В магии его стихов есть какой-то яд; они неотступно преследуют сильных и сокрушают слабых. Блок не сходит с пути, проложенного его эпохой; и в конце этого пути становится очевидно, что все на свете – лишь грязь, тлен и боль.

Вместе с культом Прекрасной Дамы в Блоке умирает вера. Быть может, он сохранил еще крупицу веры, но ему ненавистна всякая мистика. Во второй книге уже звучат ноты, подводящие нас к его поздним стихам. Он делает первый шаг к ясности, открывает реальную жизнь и погружается в полную безысходность.

Но это всего лишь шаг, слабая попытка. Остается зыбкость, романтический покров еще не сорван, и там, где голос Блока свободен от всякой искусственности, мысль и стиль еще не вполне совершенны.

Теперь все изменилось. Дева Радужных Ворот, Незнакомка из сомнительных ресторанов – все это осталось в прошлом. Он знает, что город – призрачный город «Ночной фиалки» с его набережными, закованными в гранит, царем и террористами – не более чем мираж; и вся страна, как и город, тоже призрачна, да и сам он с его отчаянием, тоской, мечтами, болезнями – всего лишь призрак, один из последних, быть может, последний призрак этого отрезка русской истории.

Ощущение неразрывной и неотвратимой связи с мировыми событиями и судьбой страны ему не внове. Блок уже переживал его в эпоху символизма – это мирочувствие, этот чудесный дар, однажды врученный Белым! Но тогда во всем дышала гармония, единство. Землетрясение на Филиппинах, пурпурные облака в шахматовском небе, автомобиль, стремительно мчащийся по петербургским улицам, танго, звучавшее в Париже, – все сливалось воедино и обладало неповторимым значением, внушало ужас и восторг. Из той эпохи Блок навсегда вынес тягу к изнанке мира, желание заглянуть за фасад вещей.

Теперь его темой стала тема отчизны и эпохи. Над ним тяготеют законы пространства и времени.

Он далек от Вячеслава Иванова, увязшего в утонченных извивах «символистской мысли»; далек и от Белого, полностью поглощенного антропософией немецкого профессора Штейнера. Белый пытается создать новую философию из антропософии, идей Гёте и Соловьева, музыки Бетховена и Вагнера и даже эвритмических танцев. Молодые поэты ему тоже бесконечно чужды – все эти акмеисты и футуристы, движимые неукротимой страстью к упрощению. Первые хотят вернуть словам их изначальный смысл и для этого требуют образов вместо рассуждений, вторые – прямоты, мужских и зычных голосов, простой и здравой мысли. Далек он и от

Брюсова, заплутавшего в тонкостях формы, и Мережковского, ощущающего себя «над схваткой».

Россия заняла место Девы и проститутки, эта смиренная и пьяная, презренная и несмотря ни на что боготворимая Россия, чьим сыном он был, чью судьбу он призван разделить. Она – «родная Галилея» для него – «невоскресшего Христа». Галилея или поле Куликово, какая разница! Она его поглотила, сожрала. Со смесью фатализма, ужаса и сладострастия он отдается ей, растворяется в ней. С нею «и невозможное возможно»; они будут вместе до смерти, навеки связанные бесконечной грустью, разделившие одну судьбу:

О, нищая моя страна,
Что ты для сердца значишь?
О, бедная моя жена,
О чем ты горько плачешь?

«Осенний день»

На какой-то миг у него мелькает мысль о возможном расставании:

Не пора ли расставаться?

Но он знает, что никогда не решится на это, ибо что же тогда останется?

И опять – коварство, слава,
Злато, лесть, всему венец –
Человеческая глупость,
Безысходна, величава,
Бесконечна... Что ж, конец?

Нет... еще леса, поляны,
И проселки, и шоссе,
Наша русская дорога,
Наши русские туманы,
Наши шелесты в овсе...

«Последнее напутствие»

Есть только она одна, но ему не удается уловить ее лик. В 1913 году он видит ее уже окруженную деревянными крестами. Кто она? Заводы дымят, из смрадных трущоб тянет вонью, крытые соломой деревни пылают. Он знает, что все это исчезнет, на смену придет новое. Но что это будет? Новый мир? Эта жизнь покажется сновидением, как сегодня кажется сном татарское нашествие. Какая роль отведена ему? Он ничего не знает. Ныне он с нею один на один.

Трудно представить себе более полное одиночество! Без друзей – у него нет ничего общего с «писательской братией», соседями по литературному словарю XX века, – без жены, ибо его настоящая жена, связанная с ним роковыми узами, упорно прячет от него свое лицо. Он пытается разглядеть таинственные черты: не отмечены ли они божественной печатью страдания? Или это всего лишь страшный оскал гнусного животного? Здоровье его пошатнулось, он сник душой, он сам себя не узнает:

> Я и сам ведь не такой – не прежний,
> Недоступный, чистый, гордый, злой,
> Я смотрю верней и безнадежней
> На простой и скучный путь земной.

«Перед судом»

Пока жизнь его не сокрушит, он останется гордым и чистым, но предстоит жестокая борьба.

В поэзии Блока последовательно развивается тема жизни в любви. Он проделал долгий путь: от религиозного лиризма «Стихов о Прекрасной Даме» до отголосков уличных песен в его поздних произведениях, от первого учителя Владимира Соловьева до спутника последних лет Аполлона Григорьева. Женские образы отражают разные стороны его любовного опыта. Юноша, преклонявшийся перед Вечной Женственностью, стал через десять лет мужчиной, предающимся неистовству всепоглощающей страсти. Больше нет ни экстаза, ни лихорадки, лишь сердечные бури, необузданные порывы, тяжелое и безысходное пьянство, душевный надрыв и сознание собственного недостоинства:

> Не таюсь я перед вами,
> Посмотрите на меня:
> Я стою среди пожарищ,
> Обожженный языками
> Преисподнего огня.

Из цикла «Возмездие»

Что ведет Блока от «идеала Мадонны к идеалу содомскому»*? Жажда бесконечности, неизведанных и острых ощущений, абсолюта. Его ведет пьянящая истина: душа бессмертна и не может довольствоваться временными и ограниченными радостями. Душа, отравленная бесчисленными желаниями, знает, что только свершение этих желаний способно утолить жажду бесконечности. Перед лицом этой жажды, этого ожидания невозможного будничная жизнь кажется тусклой и несносной.

Уже в 1908 году он предчувствует скорбную судьбу России. Его интересует не политика,

* Ф.М. Достоевский.

а как сохранить бессмертную душу его страны и будущее, в котором он прозревает ожесточенную борьбу во спасение вечных частиц этой души. Он берется за эту тему не как мыслитель, вооруженный умозрительными схемами, но как поэт – чувствующий, страдающий и любящий. Россия – новое воплощение Вечной Женственности. Сначала он видит ее «вечно ясной», затем ее черты становятся дикими, искаженными страстью и страданием, прекрасными, и странно напоминают ему «Фаину» и «Кармен». Вскоре он заговорил о «роковой стране», о ее «пьяном голосе», о ее «разбойной красе». И он подходит к «Двенадцати». На эту поэму его вдохновляют не политические убеждения, но дух народного мятежа, который он так остро почувствовал. Блок должен был решить: «с Богом» ли этот мятеж или «против Бога»? Он, всегда готовый «растоптать самое святое», смеявшийся над «куцей конституцией», ненавидевший «барыню в каракуле», приветствовал события 1905 и 1917 годов. «Ландшафт его души» состоит из ветра, снежных бурь, диких далей. Уже давно носит он в себе «скуку смертную»*.

Блок создал новый, неповторимый стиль. Его метафоры несравненно прекрасны, а его

* Двенадцать. Гл. 8.

метафорические неологизмы – бесподобно смелы. Он сочленяет цепочки метафор; они перетекают одна в другую, сливаются и становятся *метафорической темой* – поэтической реальностью.

Эта развернутая метафора иногда заканчивается катахрезой (не связанной с первоначальной метафорой). Не принятая в классической поэзии, катахреза сильно обогатила поэзию романтическую. Не меньше чем парадоксальные истины, Блок любит и часто прибегает к диссонансам.

Но главная особенность его поэтики состоит в том, что в каждом стихотворении есть музыкальная *точка отсчета,* которую он понимает как гармонию звуков; ради нее он не боится жертвовать словами, лишь бы сохранить дорогое ему звучание.

Эту поэзию продолжают называть символической, хотя в ней нет ни одного традиционного символа. Множество мелких тем, вплетенных в главную тему, образуют сложное целое. Это целое часто граничит с запредельным, и символы, если они существуют, становятся принадлежностью фона, привносят предчувствие или привкус другой реальности, в которой поэт чувствует себя так же свободно, как в первой.

Со времен Ломоносова (1711–1765) в русской поэзии существуют особые размеры: шестистопный ямб (он соответствует александрийскому стиху), пятистопный и четырехстопный ямб (самый распространенный) и т. д. Поэты XIX века следовали почти исключительно правилам силлабо-тонического стихосложения. Брюсов, Гиппиус, Сологуб первыми расшатали эти традиционные размеры. Белый и Блок с большой виртуозностью создавали новые размеры: с одной стороны, они разработали ямб, доведя его до высшего совершенства; с другой стороны – разрушили тот же классический ямб, прибавив к нему паузы, пеоны, вводя в него спондей. Из этих бесчисленных сочетаний выросло все разнообразие современных размеров.

В третьей книге Блок в известной мере возвращается к классическим формам и рифмам. Здесь он тоже работает в двух направлениях: доводит классическую рифму до предельной изощренности, но вместе с тем, порвав с традицией, смело вводит в русскую поэзию обильные ассонансы. Его стилистические возможности столь неограниченны, что, вполне освоив тот или иной троп, он тотчас же стремится его разрушить.

Анна Ахматова и Маяковский – каждый посвоему – обогатили свое творчество благодаря этому разрушению привычных размеров, рифмы и всей прежней просодии. Блок необычайно расширил словарь, и современный поэтический язык обязан ему своим несравненным богатством.

Глава XX

Война застигла Блока в Шахматове. Он встретил ее как новую нелепость и без того нелепой жизни. Он любил Германию, немецкие университеты, поэтов, музыкантов, философов; ему трудно понять, почему народы должны сражаться в угоду своим властителям. Самый тяжелый и позорный мир лучше, чем любая война. Любовь Дмитриевна сразу же выучилась на сестру милосердия и отправилась на фронт. Михаил Терещенко отказался от всякой литературной деятельности.

В ту первую военную зиму акмеизм пользуется растущим успехом. Многие участники «Цеха поэтов» несомненно талантливы, но само течение напоминает Блоку поэтические принципы Брюсова: от него исходит та же лабораторная затхлость. Лидер молодых поэтов Гумилев был для него не противником, а скорее чужаком – они не могли преодолеть взаимного непонимания. За исключением Анны Ахматовой, обладавшей истинным поэтическим талантом, и Осипа Мандельштама, редкостно одаренного и необычного поэта, питомцы Гумилева полностью лишены индивидуальности. Блок не приемлет этого течения, и еще более ему претит их нашумевший журнал «Аполлон», который кажется ему воплощением снобизма.

«В журнале “Аполлон” 1913 года появились статьи Н. Гумилева и С. Городецкого о новом течении в поэзии; в обеих статьях говорилось о том, что символизм умер и на смену ему идет новое направление, которое должно явиться достойным преемником своего достойного отца...

Н. Гумилев пренебрег всем тем, что для русского дважды два – четыре. В частности, он не осведомился и о том, что литературное направление, которое по случайному совпадению носило то же греческое имя “символизм”, что и французское литературное направление, было неразрывно связано с вопросами религии, философии и общественности; к тому времени оно действительно “закончило круг своего развития”, но по причинам отнюдь не таким, какие рисовал себе Н. Гумилев.

Причины эти заключались в том, что писатели, соединившиеся под знаком "символизма"... были окружены толпой эпигонов, пытавшихся спустить на рынке драгоценную утварь и разменять ее на мелкую монету; с одной стороны, виднейшие деятели символизма, как В. Брюсов и его соратники, пытались вдвинуть философское и религиозное течение в какие-то школьные рамки; с другой – все назойливее врывалась улица... Спор, по существу, был уже закончен, храм "символизма" опустел, сокровища его (отнюдь не "чисто литературные") бережно унесли с собой немногие; они и разошлись молчаливо и печально по своим одиноким путям.

Тут-то и появились Гумилев и Городецкий, которые "на смену" (?!) символизму принесли с собой новое направление: "акмеизм"... только, к сожалению, эта единственная, по-моему, дельная мысль в статье Гумилева была заимствована им у меня; более чем за два года до статей Гумилева и Городецкого мы с Вяч. Ивановым гадали о ближайшем будущем нашей литературы на страницах того же "Аполлона"; тогда я эту мысль и высказал».

Такова его отповедь молодым поэтам, впрочем, не слишком резкая. Но всякая полемика отступала перед магией его стихов, становилась бессмысленной. Кроме, быть может, Маяковского, называвшего Белого, Блока и Сологуба мертвецами, никто не избежал его влияния, и менее всех – молодые акмеисты. Временами Блок одобрял даже эту борьбу с символизмом:

«По всему литературному фронту идет очищение атмосферы. Это отрадно, но и тяжело также. Люди перестают притворяться, будто “понимают символизм” и будто любят его. Скоро перестанут притворяться в любви и к искусству. Искусство и религия умирают в мире, мы идем в катакомбы, нас презирают окончательно. Самый жестокий вид гонения – полное равнодушие. Но – слава Богу, нас от этого станет меньше числом, и мы станем качественно лучше».

Квартира на Пряжке опустела. Любовь Дмитриевна на фронте; многие друзья в отъезде. Петербург зловещий и мрачный. Записные книжки Блока пестрят грустными записями:

«Петербургу – finis».

«Жили-были муж и жена. Обоим жилось плохо. Наконец жена говорит мужу: “Невыносимо так жить. Ты сильнее меня. Если желаешь мне добра, ступай на улицу, найди веревочку, дерни за нее, чтобы перевернуть весь мир”».

Он начинает понимать, что «отличительное свойство этой войны – *невеликость* (невысокое).

Она – просто огромная фабрика в ходу, и в этом ее роковой смысл».

Для него тягостно отсутствие Любови Дмитриевны, он постоянно думает о ней:

«У меня женщин не 100–200–300 (или больше?), а всего две: одна – Люба, другая – все остальные, и они – разные, и я – разный».

Однако чуть ли не ежедневно его приходит проведать Дельмас, и Петербург по-прежнему прекрасен:

«Я проехал как-то вверх по Неве на пароходе и убедился, что Петербург, собственно, только в центре еврейско-немецкий; окраины – очень грандиозные и *русские* – и по грандиозности, и по нелепости, с ней соединенной. За Смольным* начинаются необозримые хлебные склады, элеваторы, товарные вагоны, зеленые берега, громоздкие храмы, и буксиры с именами "Пророк", "Воля" режут большие волны. Нева синяя и широкая, ветер, радуга».

Исполняется пятьдесят лет со дня смерти Аполлона Григорьева, и Блок хочет воздать дань забытому поэту. С огромным воодушевлением он готовит полное собрание его сочинений, но поездка в Москву прерывает эту работу: Станиславский вызывает его в связи с возможной по-

* Бывший монастырь.

становкой «Розы и креста» в Художественном театре. Но напрасно Германова и Гзовская борются за роль Изоры; эта пьеса, не имеющая ничего общего с театральными взглядами Станиславского, так и не будет поставлена.

С наступлением войны Москва сильно изменилась. Поговаривают о мобилизации сверстников Блока. Футуристы сочиняют патриотические вирши. В воздухе чувствуется удушье. Люди здесь куда лучше, чем в Петербурге, осведомлены о том, что замышляется в думских кулуарах, о нестабильности правительства, о потерях на фронте.

В июле 1916 года Блока призывают в армию. Весь этот год он очень мало пишет – урывками работает над главами из «Возмездия», но главным образом прохлаждается, ожидая наступления грядущих событий. Что это за события? Каждый день газеты приносят множество противоречивых вестей, но не их он ждет. Сепаратный мир? Он не скрывает, что это – предел его мечтаний. Падение царского режима? Оно неизбежно, и, хотя Блок ничего не делает, чтобы его приблизить, он искренне желает крушения дома Романовых. Победы и отступления армии ему безразличны, и когда его берут на фронт, ему кажется, что он, как все, стал винтиком военной машины.

Километрах в десяти от фронта он командует подразделением в две тысячи саперов. Эта жизнь, так непохожая на прежнюю, его не слишком тяготит. Десяток офицеров заняли замок, где они пьют, играют в шахматы, полдня скачут на лошадях, бранят дурную пищу, бездарность командования и отчаянно скучают. В этом глухом уголке Белоруссии, затерянном посреди болот и непроходимых чащоб, зима – холодная и непроглядная, весна – дождливая, а лето – жаркое. Доносится артиллерийская стрельба. Петербург далеко. Письма вечно запаздывают и никаких важных вестей не приносят. Любовь Дмитриевна получила приглашение в разъездную театральную труппу. Александру Андреевну поместили в лечебницу, она в тяжелом состоянии; отчима произвели в генералы, и он сражается в Галиции. Тянутся бесконечные колонны солдат: одни идут на фронт, другие возвращаются с передовой. Телеграф работает безостановочно; за перегородкой вокруг чадящей печки играют на мандолине. Днем адъютант Алексей Толстой, будущий автор «Петра I», останавливается в этом забытом богом углу. Блок рад встрече, но в тот же вечер Толстой уезжает, и он остается один в снежной тьме, где кружат крылья старых ветряных мельниц.

В конце февраля 1917 года из Петербурга приходит телеграмма, извещающая о революции, отречении царя, создании Временного правительства, в котором Михаил Терещенко назначен на пост министра финансов. Обезумев от радости, полный надежд, Блок испрашивает отпуск и спешит в Петербург.

В городе царит праздник, мгновенно разносятся живительные, пьянящие вести. Война далеко. Впервые в жизни Блок, вечно страдавший от невыносимого одиночества, чувствует полное единение с окружающими. Бесценная и прочная связь соединяет его с народом. Он не знал этого народа, считал его таким далеким, а порой и боялся его. Ныне он делит его радости и надежды и чувствует себя готовым разделить его борьбу и страдания. Это уже другой народ – не пьяный шахматовский извозчик, колотивший жену и клявшийся поджечь господский дом; не бродяга, пивший воду из грязной канавы, не зверское и отупелое лицо прислуги. Это – крепкий, очнувшийся от сна, осознавший себя народ, который он всегда стремился узнать и полюбить, у которого он готов был просить прощения за всю свою прошлую жизнь. Сердце его бьется быстрее и сильнее, он ощущает прилив новых сил. На перекрестках, в забитых до отказа залах Зимнего он восхищается этим народом, который лузгает семечки и жадно вслушивается в речи ораторов. Как он далек теперь от Михаила Терещенко, ставшего министром финансов! Его ненависть к либералам стала еще сильнее, он голосует вместе с народом, а с социалистами связывает надежды на прекращение войны и наступление новой жизни.

Но очень скоро надежды рассеются, радость и пыл угаснут. Русские социалисты, как их французские и английские собратья, прежде всего хотят разгромить Германию. И Блок со своей жаждой мира, со своей внезапной тревогой и первым предчувствием катастрофы снова остается один.

С пугающей быстротой распространяется разруха. Битком набитые поезда плохо обеспечивают перевозки; почта работает все хуже и хуже, снабжение становится все более ненадежным. Но как прекрасен город этой весной 1917 года! Кипящий жизнью, весь в красных знаменах, звенящий революционными песнями, хмельной от упований! По нему идут украшенные цветами грузовики с портретами Керенского, первого избранника русской революции.

«Мне уютно в этой мрачной и одинокой бездне, которой имя – Петербург 17 года, Россия 17 года», – пишет он в мае, и через несколько дней: «Трагедия еще не началась». После Пинска он в растерянности, ход жизни нарушен. Среди нескольких предложенных ему занятий он выбрал пост редактора стенографических отчетов Чрезвычайной следственной комиссии для расследования противозаконных по должности действий бывших министров.

Начинается новая жизнь, состоящая, как он позже скажет, из «заседаний планетарных масштабов». Комиссия заседает ежедневно; Блок ведет протоколы допросов бывших министров, заключенных в Петропавловской крепости. Часто он сопровождает судебных следователей – все они новые назначенцы, добровольно взявшиеся за эту работу. Они идут в камеры, где собраны отбросы прежнего режима, которые приводят его в замешательство, вызывают брезгливость и жалость. Эти узники – одни отталкивающие, другие смелые и решительные, а есть среди них и постаревшие светские львы, которые не в силах понять, что же произошло, – рождают в нем целый вихрь запутанных и мучительных чувств. В иные дни он готов потребовать смертной казни для всей этой старой гвардии, но иногда пишет:

«Сердце, обливайся слезами жалости ко всему, ко всему, и помни, что никого нельзя судить; вспомни еще, что говорил в камере Климович и как он это говорил; как плакал старый Кафафов; как плакал на допросе Белецкий, что ему стыдно своих детей.

...Завтра я опять буду рассматривать этих людей. Я вижу их в горе и унижении, я не видел их – в “недосягаемости”, в “блеске власти”. К ним надо относиться с величайшей пристальностью, в сознании страшной ответственности».

С 1916 года, не считая статьи о Григорьеве и нескольких отрывков из «Возмездия», он очень мало написал. Утомительные военные обязанности, бивуачная жизнь, когда приходилось спать втроем, впятером в одной комнате, не оставляли времени для творчества. В Петербурге он вновь служит, и эта работа в Чрезвычайной следственной комиссии – лишь первая в череде навязанных ему обязанностей. И речи быть не может о том, чтобы вновь обрести былую свободу: бессонные ночи, привольные дни одни давали ему возможность писать. Он не жалуется, он знает, что так или иначе он должен служить этой революции, перед которой преклоняется.

Несомненно одно: вдруг явился революционный народ, сильный и решительный, готовый к действию. Этот народ дезертирует, братается с врагом, отказывается повиноваться приказам Керенского, плюет на союзников, берет штурмом поезда и возвращается домой. И что ему до всех этих Милюковых и их собратий Альберов Тома и иже с ними, разглагольствующих о чести и долге! С него довольно, народ больше не хочет сражаться, он устал, он хочет поделить помещичьи земли, захватить заводы и разом покончить с Церковью, дворцами и банками. Второе, что несомненно и необходимо, – это мир. Кажется, он возможен и даже близок. Эта чудовищная, страшная, бессмысленная, безобразная и тупая война может скоро кончиться.

Глава XXI

Для Блока все непросто даже в эти первые месяцы революции. Есть вещи, которые его смущают: он не может их не замечать и оставаться безучастным. На Украине русские солдаты братаются с немцами, но к северу, на Рижском фронте, немцы стремительно наступают. Не хватает хлеба, по ночам постреливают, вдали грохочет пушка. Неужели это и есть «бескровная революция»? Недовольство растет. На улицах слышны жалобы: «Пусть скорее приходят немцы, а не то мы все подохнем с голоду!» На фронте для дезертиров восстановлена смертная казнь, и никто с этим не спорит. Вновь введена цензура. Финляндия, а потом и Украина провозглашают свою независимость. «Великая Россия» вот-

вот рухнет. Много говорят о большевизме, и два имени – Ленин и Троцкий – привлекают внимание Блока. Его притягивает это учение. Оно будоражит революционный народ, которому Блок сочувствует, и в то же время, как многие другие, он полагает, что вся эта пропаганда оплачена Германией.

Свирепствует страшная засуха. В окрестностях Петербурга горят леса и луга. Грязно-желтый густой туман доходит до предместий. Урожай гибнет. Над страной нависли печаль и тревога. Блок растерян:

«Страшная усталость… В России все опять черно… Для России, как и для меня, нет будущего».

Нужно выбирать. В июле Ленин и Троцкий пытаются захватить власть. Несмотря на неудачу, ясно, что они не признают себя побежденными.

«Я по-прежнему “не могу выбрать”. Для выбора нужно действие воли. Опоры для нее я могу искать только в небе, но небо – сейчас пустое для меня, я ничего не понимаю!»

Вокруг него каждый сделал свой выбор. Интеллигенция поддерживает Керенского, желая продолжения войны до поражения Германии и немедленного ареста Ленина и Троцкого. Блок осуждает эти меры; он согласен с народом, но за согласием нет еще обдуманного и твердого выбора. Он согласен с народом, но его раздирают сомнения, противоречия, преследуют тревожные мысли. Он цепляется за чувство, которое и прежде подспудно жило в нем, – подавленное, скрытое – смесь презрения к Западу и отчуждения от него. Это ощущение владело им, когда он писал «Скифов».

«Сейчас самые большие врали (англичане, а также французы и японцы) угрожают нам, пожалуй, больше, чем немцы: это признак, что мы устали от вранья. Нам надоело, этого Европа не осмыслит, ибо это просто, а в ее запутанных мозгах – темно. Но, презирая нас более, чем когда-либо, они смертельно нас боятся, я думаю; потому что мы, если уж на то пошло, с легкостью пропустим сквозь себя желтых и затопим ими не один Реймсский собор, но и все остальные их святые магазины. Мы ведь плотина, в плотине – шлюз, и никому отныне не заказано приоткрывать этот шлюз "в сознании своей революционной силы"».

Мережковский стремится объединить вокруг себя всех, у кого еще есть силы и воля обороняться против «грядущей тьмы». Блок держится в стороне. Уже начинают поговаривать о его большевизме, он остается безучастным. Жизнь снова становится «подлой». Любовь Дмитриевна далеко, она играет в Пскове, и теперь он знает, что не может без нее жить. «Люба, Люба, Люба, – пишет он на каждой странице своего дневника. – Люба, Люба! Что же будет?.. А я уже, молясь Богу, молясь Любе, думал, что мне грозит беда, и опять шевельнулось: пора кончать».

Она приезжает, но что он теперь может дать ей? Растерянный, усталый, стареющий – даже солнечный луч вызывает у него грустную улыбку: «Вот немного тепла и света для меня». У Любы своя жизнь, театр, успехи, он в тридцать семь лет жалуется на боли в спине и говорит о приближающейся «тихой старости». Его здоровье внушает все больше опасений, доктора не могут определить, что это за непонятная боль в спине и ногах. Он с любопытством наблюдает за своей болезнью: «Вдруг – несколько секунд – почти сумасшествие... почти невыносимо». И через два дня: «Иногда мне кажется, что я все-таки могу сойти с ума».

Любовь Дмитриевна с ним, но ей прискучила такая жизнь, и она этого не скрывает. Лето сухое и жаркое, с сильными грозами; в полночь отключают электричество – приходится искать свечи. В газетах слышны истерические нотки, тем более – в людях. Кругом удушье. Глухой гнев, тревожный, гнетущий, висит над городом. Недостает лишь повода, чтобы он разразился. «Я же не умею потешить малютку, – записывает он 3 августа, – она хочет быть со мной, но ей со мной трудно: трудно слушать мои разговоры». Любе передается его отчаяние, и она говорит о «коллективном самоубийстве». «Слишком трудно, все равно – не распутаемся».

К нему по-прежнему льнут женщины. Дельмас навещает его; приятельницы, незнакомые женщины присылают ему письма и любовные признания. Каждую ночь все та же женская тень маячит под окнами. Но женщины больше не интересуют его, и если он подходит к окну, то лишь затем, чтобы послушать приближающийся грохот канонады: вспыхнул корниловский мятеж. Сможет ли он когда-нибудь еще жить свободно, спокойно и мирно? Отказаться от службы? Долго ли еще будет работать эта Чрезвычайная комиссия? Все наводит на мысль, что долго, и в то же время его просят войти в состав Театрально-литературной комиссии бывших Императорских театров. Он не вправе отказаться, и вот он уже прикован двойными узами к этой машине, скорее бюрократической, чем революционной.

«Л.А. Дельмас прислала Любе письмо и муку, по случаю моих завтрашних именин.

Да, "личная жизнь" превратилась уже в одно унижение, и это заметно, как только прерывается работа».

Война все не прекращается! Усиливается разруха, кругом нищета, упадок, все пошло прахом. Ему остались только прогулки в Шуваловском парке и купание в озере. Когда выпадает несколько свободных часов, он садится в поезд и исчезает: всю ночь напролет пьет в хорошо знакомых местах, куда его всякий раз тянет, когда жизнь становится невыносимой.

Сентябрь. «Все разлагается. В людях какая-то хилость, а большею частью недобросовестность. Я скриплю под заботой и работой. Просветов нет. Наступает голод и холод. Война не кончается, но ходят многие слухи». Октябрь! По приказу Троцкого вооруженные рабочие выходят на улицы Петербурга; Ленин произносит пламенную речь, определившую ход событий. Крейсер «Аврора» входит в Неву, направляет пушки на Зимний дворец, и власть переходит в руки большевиков.

Ледяная, темная, тяжкая зима. По вечерам неосвещенные улицы пустеют. Тюрьмы переполнены новыми пленниками, которым вчера еще все рукоплескали. Больше нет связи! Город отрезан не только от мира, но и от самой России. Из Москвы никаких новостей. На фронте – полный хаос, о бывших союзниках уже никто не вспоминает! Немцы продвигаются, и ничто не может их остановить.

Его мать получает печальное известие из Шахматова от бывшего работника:

«Ваше Превосходительство Милостивая Государыня Александра Андреевна.

Именье описали, ключи у меня отобрали, хлеб увезли, оставили мне муки немного, пудов 15 или 18. В доме произвели разруху. Письменный стол Александра Александровича открывали топором, все перерыли.

Безобразие, хулиганства не описать. У библиотеки дверь выломана. Это не свободные граждане, а дикари, человеки-звери. Отныне я моим чувством перехожу в непартийные ряды. Пусть будут прокляты все 13 номеров борющихся дураков.

Лошадь я продал за 230 рублей. Я, наверное, скоро уеду, если вы приедете, то, пожалуйста, мне сообщите заранее, потому что от меня требуют, чтобы я доложил о вашем приезде, но я не желаю на Вас доносить и боюсь народного гнева. Есть люди, которые Вас жалеют, и есть ненавидящие.

Пошлите поскорей ответ.

На рояли играли, курили, плевали, надевали бариновы кэпки, взяли бинокли, ножи, деньги, медали, а еще не знаю, что было, мне стало дурно, я ушел...»

Блок на письмо не ответил. Никто из них больше не бывал в Шахматове, в 1918 году пожар уничтожил дом вместе с книгами и архивами. Двоюродный брат Блока, бывший здесь в 1920 году проездом, не узнал эти места: все заросло колючим кустарником.

Однако нужно жить, то есть во что-то верить, кого-то любить, желать, ждать, надеяться хоть на какую-то радость. Но душа исполнена одной ненавистью. Ненависть против тех, кто ничего не хочет и не может, против буржуа во всех обличьях, буржуа, защищенного материальными и духовными ценностями, которые он скопил, ненависть против Мережковского с Сологубом, желающих сохранить «руки чистыми», ненависть против барышни, распевающей глупые романсы за перегородкой в ожидании своего «жеребца», ненависть против левых эсеров, к которым он примкнул: сотрудничая с большевиками, они ведут мелочные споры по вопросу о мире; ненависть против горьковской газеты, критикующей политику Троцкого. Он хотел бы заткнуть уши, чтобы до него не доносились бесчинства пьяной толпы, которая крушит и грабит магазины, винные подвалы и напивается до бесчувствия. «О сволочь, родимая сволочь!» Он хотел бы больше не слышать обо всех этих бессмысленных и глупых декретах, не способных поддержать хоть какой-то «революционный порядок», и не желает знать об условиях Брест-Литовского договора, который все вокруг него бранят!

Ему, с 1907 года говорившему в ряде статей о связи интеллигенции и народа, ясно одно: если интеллигенция целый век жаждала политических перемен в России, падения самодержавия, прихода к власти нового класса, то ныне она должна принять Октябрьскую революцию без рассуждений и колебаний, признать ее и к ней примкнуть. Вот что он пишет в своей последней статье «Интеллигенция и революция» в конце 1917 года – столь жестокого и насыщенного событиями. В тот миг, когда должна была окончиться эта ненавистная война, когда «диктатура пролетариата» вот-вот «приоткроет истинное лицо народа», в первый и единственный раз он выразил свое отношение к Октябрьской революции, которую, по его словам, полностью поддержал. Эта статья и поэма «Двенадцать», написанная месяц спустя, – главные произведения Блока, посвященные революции.

«Что такое война? – спрашивает Блок в статье "Интеллигенция и революция". – Это болота, кровь, скука. Трудно сказать, что тошнотворнее: то кровопролитие или то безделье, та скука, та пошлятина; имя обоим – "великая война", "отечественная война", "война за освобождение угнетенных народностей" или как еще? Нет, под этим знаком – никого не освободишь.

Мы любили эти диссонансы, эти ревы, эти звоны, эти неожиданные переходы... в оркестре. Но если мы их действительно любили, а не только щекотали свои нервы в модном театральном зале после обеда, – мы должны слушать и любить те же звуки теперь, когда они вылетают из мирового оркестра; и, слушая, понимать, что это – о том же, все о том же».

Он предвидит гибель тех, на кого обрушились революционные потрясения. «Те из нас, кто уцелеет, кого не “изомнет с налету вихорь шумный”, окажутся властителями неисчислимых духовных сокровищ».

«Мы – звенья одной цепи. Или на нас не лежат грехи отцов? – Если этого не чувствуют все, то это должны чувствовать “лучшие”».

Интеллигенция должна избегать всего «буржуазного», забыть о себе, не оплакивать умерших: ни людей, ни идей. Он призывает «слушать ту великую музыку будущего, звуками которой наполнен воздух, и не выискивать отдельных визгливых и фальшивых нот в величавом реве и звоне мирового оркестра.

К чему загораживать душевностью путь к духовности? Прекрасное и без того трудно...

Всем телом, всем сердцем, всем сознанием – слушайте музыку Революции».

Белый то в Петербурге, то неизвестно где. Есенин здесь, чувствительный, как гимназистка. В голове у него сумбур, но его поэтический дар неоспорим; другие остаются в тени. Говорят, в Москве все иначе: Брюсов, футуристы поддерживают новую власть. Но Москва далеко! А здесь Сологуб и другие призывают саботировать правительство.

Блок заставляет себя вслушиваться в «эту музыку революции»; она его преследует. Тогда все исчезает: низость жизни, пошлость, тупость; днем и ночью он чутко прислушивается. И незаметно для него из тьмы возникает образ и предстает перед ним. Он вызывает у поэта ужас, отвращение, смятение – но не блаженство и безмятежность: это образ Христа. «Иногда я сам глубоко ненавижу этот женственный призрак». Но он не в силах отвести от него глаз. «Если вглядеться в столбы метели на этом пути, то увидишь "Иисуса Христа"». Наваждение усиливается: «Что Христос перед ними – это несомненно. Дело не в том, "достойны ли они его", а страшно то, что опять Он с ними, и другого пока нет; а надо Другого – ?»

И он пишет «Двенадцать». В этой поэме нет ничего вымышленного. Именно так маршировали они через Петербург зимой 1918 года, днем и ночью, в мороз и снег, круша, убивая, насилуя, горланя песни о свободе, с винтовкой за плечами. Их можно было повстречать в переулочках вокруг Пряжки, вдоль Невского, в Летнем саду, на набережных, ныне усеянных осколками стекла и камнями. И впереди «Двенадцати» он видел «женственный призрак», столь же реальный, как они сами. Блок не понимает, что значит этот призрак. Он закрывает глаза, но по-прежнему видит его.

Правые называют это кощунством и люто его ненавидят. Левые – Луначарский, Каменев – не одобряют этот «устаревший символ». Каменев говорит ему, что эти стихи не следует читать вслух, поскольку он якобы освятил то, чего больше всего опасаются они, старые социалисты. И Троцкий советует ему заменить Христа Лениным.

«Двенадцать» становится его заработком. Каждый вечер Любовь Дмитриевна читает поэму в артистическом кафе, где собираются модные поэты и буржуазная богема: ничтожные личности, сильно накрашенные женщины приходят, чтобы послушать «жену знаменитого Блока, продавшегося большевикам». Люба зарабатывает деньги, о работе в театре нечего и мечтать.

«Скифы» вышли во время подписания Брест-Литовского мира и кажутся пояснением к этому договору, обращенным к союзникам. Для России война закончена, и Блок, исполненный надежд, зовет Европу сделать выбор. А если нет... Тут он не скупится на угрозы. Из глубины Петербурга полуживой Блок грозит европейским «Пестумам», сам еще не понимая, что это его "De Profundis".

И снова Блок вспоминает Владимира Соловьева. Эпиграф к «Скифам» взят из его стихов:

Панмонголизм! Хоть имя дико,
Но мне ласкает слух оно.

Стихи написаны от лица монголов, то есть русских, ведь они – азиаты. Азия уязвлена Европой; она веками сознавала себя безобразной, грязной, жалкой, отверженной, невежественной. Европа прекрасная, опрятная, изобильная, просвещенная. Но Азия – «имя же ей легион» – одолеет соперницу «тьмами». Чем ответить на презрение Запада? Как «желтые» могут отомстить «белым»?

Все, что Россия подавляла в течение долгих веков, прозвучало в этих строках, полных горечи и гнева. Безответная любовь к этой Европе, зависть, желание соединиться с ней, никогда не встречавшее отклика, – все это перешло в стойкую ненависть. Ревность Петра Великого, Пушкина, Герцена проступает в «Скифах».

Блок полностью осознал, каким последним средством борьбы располагала Россия: она может дать дорогу азиатским ордам, которые обрушатся на Европу. Именно этот путь изберет ее ненависть.

Но что станется с ее любовью к Западу? «Желтому» хотелось бы стать братом «белого»; любовь его душит, он изнемогает под ее тяжестью. Эта чрезмерная и непостижимая любовь к Европе страшна; она ведет к гибели любящего и любимого. И Россия рыдает, предлагая Европе вечный мир, в который не верит сам автор.

В «Скифах» уже нет былой блоковской магии. Стихи не столько прекрасны, сколь знаменательны. Полемический пыл делает их несовершенными; эту вещь можно ценить, но нельзя по-настоящему любить.

«Двенадцать» станет его первым революционным произведением. Эта поэма отмечена неоспоримым талантом, она расчистила дорогу стихам Маяковского да и всей будущей революционной поэзии. Поэма необычна и неповторима; с поразительной виртуозностью Блок использует уличные песни и просторечие. Так же, как Лермонтов в своей «Песне о царе Иване Васильевиче, молодом опричнике и купце Калашникове» воскресил русский былинный фольклор, Блок в «Двенадцати» увековечил фольклор революционный.

В «Скифах» он попытался заговорить от имени русского народа. Быть может, сочиняя «Двенадцать», он хотел написать народную поэму. Здесь угадывается желание писать совсем по-новому, не только творить прекрасное, но и принести *пользу*. В нем самом и вокруг него все пошатнулось, и поэма (устаревшая много больше, чем самые «символистские» стихи Блока) точно отражает его душевное состояние и незабываемый образ города в ту первую зиму новой эры.

Глава XXII

Вселенское братство! Вечный мир! Отмена денег! Равенство, труд. Прекрасный, удивительный Интернационал! Весь мир – ваша Отчизна. Отныне нет никакой собственности. Если у тебя два плаща, один у тебя отнимут и отдадут неимущему. Тебе оставят одну пару обуви, и, если тебе нужен коробок спичек, «Центрспички» его выдадут. Новорожденный, академик, рабочий и проститутка получают одинаковый паек керосина. Через полгода у государства ничего нет, у народа ничего нет, ни у кого ничего нет, голодающая страна ходит босиком. Молодежь шагает с воодушевлением, горделиво взирая на старую Европу, которая все еще упорно сражается с немцами. Все распевают хором задорные песни, декламируют стихи на голодный желудок, но с горящим взором. Дети никогда не видели апельсинов, не знают, когда жил Николай II – до Александра II или после, – не ведают, что в поездах существовало несколько классов...

...Они идут по призрачному городу навстречу небывалой, завораживающей жизни. Это призраки, они невесомые. Старики умирают сами, бунтари расстреляны, те, кто не желает понимать, что земной рай близок, бегут за границу. В зимних льдах или прозрачном летнем свете столица, словно тяжелобольной, постепенно меняет свой облик.

Но театры переполнены. «Дона Карлоса», «Принцессу Турандот», «Проделки Скапена» играют двести, четыреста, восемьсот раз. На оберточной бумаге выходят стихи Блока, Сологуба, Ахматовой, Гумилева, еще неизвестных молодых поэтов, воспевающих героев гражданской войны, нехватку хлеба, любовь, неважно что, ведь никто с них не спрашивает, и они сами ни от кого ничего не ждут.

Никто толком не знает, что творится за пределами города. Говорят, что Сибирь и юг России заняты врагами нового режима, что в театральной и литературной жизни Москвы творится что-то неслыханное. Но ничего точно неизвестно. Неизвестно даже, жив ли Вячеслав Иванов и продолжает ли писать Брюсов. Теперь все это так далеко!

В Петербурге Горький, достигший вершин власти, создает новые учреждения, чтобы поднять культурный уровень масс. Мгновенно рождаются «Всемирная литература» – крупное издательство, выпускающее шедевры мировой литературы, – и «Пролеткульт» – школа пролетарской культуры, куда молодые поэты из рабочих приходят поучиться у старорежимных мастеров. На специальных курсах музейным экскурсоводам разъясняют связь между живописью Фра Анджелико и феодальным строем. В театрах толкуют Маркса директору, трагической актрисе, дворнику, суфлеру. Улицы заросли травой, дворцовый мрамор потускнел; нет ни экипажей, ни трамваев; Петербург, как Венеция, гулко звучит под ногами пешеходов.

Блок служит не только в Театральном отделе – ТЕО Наркомпроса, где под руководством Каменевой готовит новый репертуар, но также и в Государственной комиссии по изданию классиков. Чрезвычайная следственная комиссия для расследования противозаконных по должности действий бывших министров закрылась, но рождаются другие органы, и они требуют его присутствия. Иногда он за один день участвует в пяти заседаниях. Все еще существует группа «Скифы», оставшаяся от левых эсеров, о которой тоже нельзя забывать. Он все еще «призван»!

Два документа, написанные почти в одно и то же время, дают нам представление о его душевном состоянии. Первый – ответ на анкету Сологуба: «Что сейчас делать?..» Блок отвечает на этот вопрос как художник; ему нечего сказать ни о снабжении, ни о пустующем престоле, ни о парламентаризме, ни о крестных ходах. Что сейчас делать художнику?

«1) Художнику надлежит знать, что той России, которая была, – нет и никогда уже не будет. Европы, которая была, нет и не будет. То и другое явится, может быть, в удесятеренном ужасе, так что жить станет нестерпимо. Но того рода ужаса, который был, уже не будет. Мир вступил в новую эру. Та цивилизация, та государственность, та религия – умерли. Они могут еще вернуться и существовать, но они утратили бытие, и мы, присутствовавшие при их смертных и уродливых корчах, может быть, осуждены теперь присутствовать при их гниении и тлении; присутствовать, доколе хватит сил у каждого из нас. Не забудьте, что Римская империя существовала еще около пятисот лет после рождения Христа. Но она только существовала, она раздувалась, гнила, тлела – уже мертвая.

2) Художнику надлежит пылать гневом против всего, что пытается гальванизировать труп. Для того, чтобы этот гнев не вырождался в злобу (злоба – великий соблазн), ему надлежит хранить огонь знания о величии эпохи, которой никакая низкая злоба не достойна. Одно из лучших средств к этому – не забывать о *социальном неравенстве,* не унижая великого содержания этих двух малых слов ни “гуманизмом”, ни сентиментами, ни политической экономией, ни публицистикой. Знание о социальном неравенстве есть знание высокое, холодное и гневное.

3) Художнику надлежит готовиться встретить еще более великие события, имеющие наступить, и, встретив, суметь склониться перед ними».

Второй документ – прощальное письмо к Зинаиде Гиппиус, которая вместе с Мережковским уезжает в Париж.

«Я отвечаю Вам в прозе, потому что хочу сказать Вам больше, чем Вы – мне; больше, чем лирическое*.

Я обращаюсь к Вашей человечности, к Вашему уму, к Вашему благородству, к Вашей чуткости, потому что совсем не хочу язвить и обижать Вас, как Вы – меня; я не обращаюсь поэтому

* З. Гиппиус посвятила Блоку стихотворение.

к той “мертвой невинности”, которой в Вас не меньше, чем во мне.

“Роковая пустота” есть и во мне, и в Вас. Это – или нечто очень большое, и – тогда нельзя этим корить друг друга; рассудим не мы; или очень малое, наше, частное, “декадентское”, – тогда не стоит говорить об этом перед лицом тех событий, которые наступают.

Также только вкратце хочу напомнить Вам наше личное: нас разделил не только 1917 год, но даже 1905-й, когда я еще мало видел и мало сознавал в жизни. Мы встречались лучше всего во времена самой глухой реакции, когда дремало главное и просыпалось второстепенное. Во мне не изменилось ничего (это моя трагедия, как и Ваша), но только рядом с второстепенным проснулось главное.

В наших отношениях всегда было замалчиванье чего-то; узел этого замалчиванья завязывался все туже, но это было естественно и трудно, как все кругом было трудно, потому что все узлы были затянуты туго – оставалось только рубить.

Великий Октябрь их и разрубил. Это не значит, что жизнь не напутает сейчас же новых узлов; она их уже напутывает; только это будут уже не те узлы, а другие.

Не знаю (или – знаю), почему Вы не увидели октябрьского величия за октябрьскими гримасами, которых было очень мало – могло быть во много раз больше.

Неужели Вы не знаете, что “России не будет” так же, как не стало Рима – не в V веке после Рождества Христова, а в 1-й год I века? Также – не будет Англии, Германии, Франции. Что мир уже перестроился? Что “старый мир” уже расплавился?»

1919. Несмотря на холод и голод, жизнь кое-как устраивается. Все должны где-то служить, работать в учреждении, состоять на государственной службе. Сидеть дома означает лишиться пайка. Поэтому Блок не отказывается ни от какой «мобилизации», и каждый вечер у него неизбежные собрания, лекции, деловые встречи. Его отношения с людьми ограничены работой. Нужно выбирать классические пьесы, читать и готовить отзывы о пьесах современных, объяснять актерам отобранные вещи, обсуждать с руководством «народных театров» пропагандистские произведения, присутствовать на репетициях и представлениях. Планы обширны, но мало что из них удается осуществить. Каменева не ладит с Андреевой – женой Горького, которая тоже работает в ТЕО Наркомпроса. Андреева хочет отнять Блока у своей соперницы и добивается его назначения председателем режиссерского управления Большого драматического театра. У него много работы, но никакой реальной власти, поскольку политкомиссар по театрам и Андреева имеют право вето. Тем не менее он добросовестно выполняет свою работу, а поначалу – даже с некоторым воодушевлением. Репертуар этого театра в основном классический: Шекспир, Мольер, Шиллер, исторические пьесы Мережковского, комедии Гольдони. Блок должен произносить речи, составлять репертуар на год вместе с Репертуарным комитетом, куда он входит, править новые переводы. В театре поставлены «Разбойники», «Отелло», «Синяя птица» и, как тогда шутили, «бывший» «Король Лир». Социальный заказ пока не давит с такой страшной силой на искусство, и в первые годы свобода в этой области еще довольно велика. Образованные, уже не очень молодые актеры Драматического театра счастливы и горды тем, что работают с Блоком. Но он не может посвятить все свое время театру, хотя это доставляет ему удовольствие: его ждет другая работа, и прежде всего – «Всемирная литература».

Горький, желавший перевести на русский язык шедевры мировой литературы, собрал для этого грандиозного предприятия все «культурные силы». Откопали старые переводы, их подновили, переиздали переводы бабушки, Елизаветы Григорьевны Бекетовой, и Александры Андреевны под редакцией Блока, что дало ему возможность купить немного табака на черном рынке. Хотя поговаривали об отмене денег, государство все еще оплачивало работу сотнями тысяч и даже миллионами рублей. Вина больше не купишь – только самогон, его гонят тайно. В помещении «Всемирной литературы» несколько раз в неделю академики, профессора, поэты, писатели, люди без профессии, ищущие работу, собирались вокруг Горького, пили «чай» – безвкусный настой из сушеной моркови, без сахара: зачастую это единственное горячее питье за весь день. Истертая, поношенная одежда становится все причудливее и сводится до минимума: часто под шубой нет ни рубашки, ни пиджака; ничего, кроме гимнастерки, перешитой из старого одеяла. Блок упорно продолжает ходить свежевыбритым, всегда в белом свитере с высоким воротником, и упорно не желает говорить о бытовых тяготах.

И все же эта жизнь тяжела. Месяцами термометр показывает минус двадцать. Каждый день нужно поднимать из подвала тяжелые поленья; три часа он тратит на дорогу от Пряжки до центра города и обратно, глотает все ту же ячневую или пшенную кашу без сливочного и подсолнечного масла, часто даже без соли. Пайки скудные: сто пятьдесят граммов сырого хлеба с отрубями, немного воблы, твердой как камень, несколько селедок, иногда немного сала и табака. Блок продает книги, мебель, дорогие вещи, которые у него еще остались. Изнуренный этой жизнью, худой, печальный, молчаливый, он изо всех сил борется, чтобы не сдаться, не опуститься, не заболеть. Он читает лекции о Гейне, которого переводит для «Всемирной литературы», и принимает предложение сотрудничать в «исторических картинах» – еще одно начинание Горького, призванное поднять культурный уровень масс. Нужно было написать исторические сцены на заданные темы, которые ставили в народных театрах. Блок написал историческую картину «Рамзес» из жизни Древнего Египта.

Выходит дополнение к третьей книге его стихов «Седое утро», а потом сборник ранних стихов. И так как это приносит деньги, Блок издает все, что ему удается отыскать: статьи, пьесы...

После двух лет нищеты и одиночества, проведенных в Москве, в перенаселенной квартире, Белый приезжает в Петербург, надеясь, что здесь будет полегче. Его жена осталась за границей. Несчастный, измученный, изголодавшийся, он ищет, куда бы ему забиться, ищет немного тепла и еды. Но он не создан для жизни среди волков, он никогда не умел устраиваться и не знает, что предпринять, чтобы достать дополнительный паек. Он сидит в выстуженной комнате, неподвижный, скрючившийся под шубой, в глубоком отчаянии. Чернила замерзают в чернильнице, и он не может писать; он пытается починить единственные брюки и, чтобы не заболеть тифом, сражается со вшами. В 1921 году, уже за границей, он напишет жене о том, как в те годы смерть заглядывала ему в глаза, и казалось, что снег погребет их всех и отделит от мира, от всего, чем они дорожили*.

Во время встречи Белого с Блоком родилась идея основать Вольно-Философскую ассоциацию. На торжественном открытии этой ассоциации, где обсуждались религиозные, философские, художественные вопросы, Блок выступил с докладом «Конец гуманизма». Впрочем, ассоциация просуществовала недолго. С самого начала на нее смотрели косо; в феврале 1919 года ее члены были арестованы, потом выпущены, но надзор становился все более строгим, в конце концов эту ассоциацию признали не соответствующей марксистскому учению и в 1921 году закрыли.

* Неизданное письмо.

Товарищества, содружества, союзы, комиссии рождались, умирали, и их место немедленно занимали другие, в которых Блок должен был выступать в качестве председателя, заместителя, почетного члена. Находясь среди акмеистов, совершенно ему чуждых молодых людей, он испытывает неловкость, однако не может отказаться возглавить «Союз поэтов». Но после нескольких обсуждений он с радостью уступает это место Гумилеву. Тот, пользуясь своим влиянием на молодых поэтов, вел себя с нарочитой властностью, самоуверенностью, что стало причиной многих трудностей в отношениях не только с Блоком, но и с властями, и с Горьким во «Всемирной литературе». Белый и несколько друзей из группы «Скифы» задумали основать журнал и предлагают Блоку возглавить его. Он соглашается и в течение двух лет будет одним из редакторов «Записок мечтателей» – последнего свободного журнала, запрещенного в 1921 году.

В Петербурге открылись два клуба, Дом искусств и Дом литераторов, и все учреждения, имеющие отношение к искусству и литературе, таким образом, централизованы. В этих Домах образованы «коммуны», где живут художники и писатели; открываются школы поэзии, перевода, кружки по истории литературы. Работают библиотеки, рабочие комнаты, залы для собраний и даже столовые, где подавали все ту же кашу. И Блок – член совета этих Домов – должен тратить на них еще больше времени!

Квартиры отбирают; каждому, а нередко и на семейную пару, полагается по одной комнате. После смерти генерала Кублицкого в январе 1920 года Блок переезжает в квартиру, где живут его мать с теткой, в том же доме, но двумя этажами ниже. Сюда легче таскать дрова, но отношения между Любовью Дмитриевной и ее свекровью все ухудшаются, часто вспыхивают неприятные сцены, от которых Блок очень страдает. Публике из артистического кафе наскучило слушать каждый вечер «Двенадцать», и Любови Дмитриевне пришлось принять приглашение в Народный театр. Эта молодая женщина, привыкшая к вольной жизни, избалованная поклонением, без всяких жалоб приспосабливается к трудному и утомительному быту: уборка, стряпня, стирка, поиски еды, ежедневные представления на другом конце города, откуда приходится возвращаться пешком, голод, холод не в силах поколебать ее стойкости. Она продает на рынке или меняет все, что может отыскать, на мерзлую картошку. С мешком за плечами она возвращается из театрального кооператива, принося с собой муку, соль, керосин. Ни электричество, ни телефон не работают, никаких средств связи больше не существует. Все лошади съедены. С огромным трудом после многочисленных ходатайств и долгих поисков удается найти одну клячу, чтобы отвезти на кладбище тело генерала Кублицкого. Эта изматывающая, отупляющая жизнь, которую приходится вести Любови Дмитриевне, причиняет Блоку дополнительные страдания. Чтобы раздобыть немного денег, он продает даже книги. Он помогает ей чем может. В непроглядной и холодной мгле, под порывами колючего ветра, он тащится в кооператив, впрягшись в детские санки. Вдоль длинного, замерзшего, пустынного канала по темному городу, под снегопадом, он едва передвигает ноги. Пустые лавки, разбитые оконные стекла, дома, открытые всем ветрам, с которых давно сорваны и сожжены двери, дворы, полные испражнений из прорвавшей канализации, – вот его путь через мертвый город.

Когда ты загнан и забит
Людьми, заботой иль тоскою;
Когда под гробовой доскою
Все, что тебя пленяло, спит;
Когда по городской пустыне,
Отчаявшийся и больной,
Ты возвращаешься домой,
И тяжелит ресницы иней,

Тогда – остановись на миг
Послушать тишину ночную:
Постигнешь слухом жизнь иную,
Которой днем ты не постиг;
. . . .
И в этот несравненный миг –
Узоры на стекле фонарном,
Мороз, оледенивший кровь,
Твоя холодная любовь –
Все вспыхнет в сердце благодарном,
Ты все благословишь тогда,
Поняв, что жизнь – безмерно боле,
Чем quantum satis!* Бранда воли,
А мир – прекрасен, как всегда.

Это отрывок из третьей главы «Возмездия» – поэмы, которую у Блока нет времени окончить. По ночам, проходя по городу, он вспоминал о ней, но как только входил в свой дом, на него наваливались другие заботы. То его одолевает налоговая инспекция, то домком ни с того ни с сего вздумал его выселить. Потом выдумали и принудили его к дикому ночному дежурству: вместе с другими жильцами он должен охранять улицу и двор. В довершение ко всему нет ни свечей, ни керосина, ни света.

* В полную меру *(лат.). (Примеч. пер.)*

В бывшей комнате отчима за ширмами он устроил себе постель, поставил письменный стол, книжный шкаф – впрочем, большая часть книг продана или обменена на скудную снедь; посреди комнаты возле чугунной печки стоит обеденный стол. Из окна ничего не видно: ни заводских труб, ни кораблей, ни мачт, ни облаков. В свободные вечера Любовь Дмитриевна чинит старую одежду, Блок читает и правит театральные пьесы для красноармейцев, которые поступают в Репертуарный комитет. И часто по утрам он очень рано отправляется в театр – не на заседание какой-нибудь комиссии, а чтобы разбирать вместе с артистами и рабочими дрова, которые Андреева только что выхлопотала для отопления театра.

Глава XXIII

Пришла весна, и белые ночи высветили срубленные деревья, рухнувшие дома, уже зарастающие травой проспекты. Дворцы опустели, бронзовые решетки сорваны, посольства обезлюдели, министерства эвакуированы в Москву. Все окутано смертью, величественной и прекрасной. С первыми лучами солнца люди вышли на улицы; они умели держаться с достоинством, несмотря на оборванную одежду, напоминающую карнавальные костюмы, и обувь без подметок, – жалкие, но не смешные. Обросшие люди в сюртуках, болтавшихся на исхудавшем теле, с голодными и горящими глазами, влачились, как тени, с книгами под мышкой, из Эрмитажа в Академию, из Дома искусств – в Вольно-Философскую ассоциацию. Некоторые, как Гумилев, по вечерам переодевались во фраки: им больше нечего было надеть. Пяст носит клетчатые брюки, возможно, купленные его отцом на Парижской всемирной выставке; египтолог Шилейко, в сорок пять лет выглядевший на шестьдесят пять, никогда не снимает пальто, даже в самую сильную жару, а Волынский – специалист по Итальянскому Возрождению – спит в галошах, опасаясь, что их украдут. Ничто не нарушало величия этих мест и этих теней, и изголодавшаяся молодежь, которая тянулась за ними в университетские залы, в Эрмитаж, на концерты, на улицу, – не менее достойные представители той эпохи.

Вот уже десять лет длится борьба акмеизма с символизмом и не прекращаются разногласия Гумилева и Блока. Блок не выносит тона, избранного главой акмеизма, и напыщенности его манер, скопированной у Брюсова. Гумилев подражает Мэтру и, высокомерный, требует от младших – чуть моложе его самого – не любви, но почитания. Несмотря на эти странности, он – благородный и смелый человек.

«Гумилев говорил мне о Блоке: “Он лучший из людей. Не только лучший русский поэт, но и лучший из всех, кого я встречал в жизни. Чистая, благородная душа. <...>

Но – он ничего не понимает в поэзии"»*.

Блок не испытывает неприязни к Гумилеву, восхищаясь его талантом, но его раздражает акмеистское окружение. Он ненавидит эти вечера, которые устраивает Союз поэтов, где в храмовой тишине нараспев читают стихи, спорят о достоинствах формы, с благоговейным обожанием вслушиваются в слова Мэтра, изображающего из себя судию. Ему кажется, что от всего этого «несет Эредиа», и одна из его последних статей как раз и направлена против этих теорий, откуда изгнано всякое вдохновение; но статья эта так и не вышла, поскольку набор рассыпали по приказу властей: чисто литературная полемика отныне возбранялась.

Анна Ахматова, отошедшая в 1914 году от акмеистов, которым она принесла славу, – самая необычайная из петербургских женских теней. Ее нищета и огромная разноцветная шаль, в которую она могла укутаться с головой, стали легендарными. Она проходит

Мимо зданий, где мы когда-то
Танцевали, пили вино...

«Побег»

* *Голлербах Э.* Встречи и впечатления. СПб., 1998. С. 122. *(Примеч. пер.)*

Она пишет стихи о гибнущем Петербурге – городе поэтов! Сологуб здесь, Белый и Ходасевич приехали сюда из Москвы, Кузмин, почти такой же нищий, как Пяст, с огромными глазами, плохо выбритый, с неизменным мешком за спиной. Но нет уже той «священной дружбы поэтов», о которой говорил Пушкин.

Друг другу мы тайно враждебны,
Завистливы, глухи, чужды.

«Друзьям»

Начиная с 1905 года у Блока не было соперников в поэзии. Никогда он не знал зависти и ненависти, но и потребности в дружеской близости тоже не испытывал. А сейчас – меньше чем когда бы то ни было. Этот «призванный» революцией поэт вечно окружен людьми, с которыми приходится разговаривать. А главное, он охвачен тревогой, грустью, отчаянием. Все меньше и меньше признаний появляется в его дневнике, и они становятся все сдержаннее в этом 1920 году: из-за частых обысков вести дневник опасно. И все же некоторые записи знаменательны:

«Искусство несовместимо с властью».

«Изозлился я так, что согрешил: маленького мальчишку, который, по обыкновению, катил навстречу по скользкой панели (а с Моховой путь не близкий, мороз и ветер большой), толкнул так, что тот свалился. Мне стыдно, прости мне, Господи».

«Утренние, до ужаса острые мысли, среди глубины отчаянья и гибели.

Научиться читать "Двенадцать". Стать поэтом-куплетистом. Можно деньги и ордера иметь всегда...»

«Следующий сборник стихов, если будет: "Черный день"».

«...Вошь победила весь свет, это уже совершившееся дело, и все теперь будет меняться только в другую сторону, а не в ту, которой жили мы, которую любили мы».

В записных книжках попадаются и более выразительные высказывания:

«Как безвыходно все. Бросить бы все, продать, уехать далеко – на солнце и жить совершенно иначе».

«Тоска. Когда же это кончится? Проснуться пора!»

Его признанный биограф – тетка Бекетова – лишь вскользь говорит об этих последних годах его жизни. Впрочем, она признает, что он продолжал работать. «Он работал только из чувства долга, ему казалось, что революционные огни погасли, что кругом было серо и уныло. Александр Александрович был глубоко разочарован и замкнулся в своей печали».

Все утомляет его, все кажется тщетным, но самая докучная обязанность – заседания бесчисленных комитетов, где часами происходят бесконечные словопрения, и ему тоже приходится выступать, хотя все это совершенно бесплодно. Блок устраивает два литературных вечера. На первом он произносит речь в память о Владимире Соловьеве по случаю двадцатилетия его кончины, на другом – читает две последние главы из «Возмездия», но это не приносит ему радости.

Отъезд! Случайно брошенное слово теперь не сходит с уст. Мысль об отъезде все сильнее овладевает умами, и внезапно Блок с испугом ловит себя на том, что и сам начинает подумывать о такой возможности. Куда ехать и как это сделать? Навсегда или только на время, чтобы можно было отоспаться и забыть этот вечный страх, голод, холод, лишения, короче – прийти в себя. Ахматова решила остаться. Гумилев отмалчивается, его личная жизнь окутана тайной. Сологуб рассчитывает уехать навсегда. Белый и Ремизов, никому не говоря ни слова, уже несколько месяцев пытаются раздобыть паспорта. Даже Горький с помощью врача добивается визы, чтобы уехать в Германию. Блок не помышляет об эмиграции, но мечтает о длительном отдыхе в Финляндии. Он ждет, колеблется и наконец решает подать прошение об отъезде.

В отрезанном от внешнего мира городе рождаются неотвязные мысли. Словно в волшебной сказке, которая ненароком может сбыться, люди грезят о Европе, где уже кончилась война. Она попрежнему существует, там можно жить, писать, там даже подметают улицы. Изредка начинают ходить поезда, и Блоку предлагают прочитать в Москве несколько лекций и провести литературные вечера. В апреле 1920 года он едет в Москву с тайной надеждой повидаться со Станиславским и снова поговорить о своей драме «Роза и крест». Как в 1904 году в первый его приезд, Москва встречает его рукоплесканиями. Но на сей раз ему приходится выступать уже не в узком и замкнутом кругу интеллигенции. На его выступления собираются по две тысячи человек, каждый вечер зал переполнен. Все слушают, аплодируют, упиваются музыкой его стихов, потрясены их трагической ясностью. У выхода его ждет толпа. Его приветствуют, провожают, и люди долго будут помнить о «блоковских днях» в Москве.

«Какие прекрасные люди в Москве!»

Здесь тоже холодно, голодно, но присутствие в Кремле Ленина, Троцкого, Каменева, лихорадочная политическая жизнь придают городу необычайное оживление. Москва, кишащая и переполненная народом, куда каждый день стекаются всё новые жители, – зеркало новой России. Брюсов вступает в коммунистическую партию. Вячеслав Иванов нигде не показывается и готовится к отъезду. Прежние кумиры сошли со сцены, футуристы во главе с Бобровым и Маяковским ликуют, отдавая свою поэзию и энергию на службу пропаганды. В Кремле Каменев с супругой принимают Блока не слишком радушно. Хотя его ценят за прошлые заслуги, все же понимают, что в будущем от него ждать нечего. Впервые он слышит бытовавшее тогда выражение: использовать людей, выжимать их как лимон. Для Кремля Блок уже «выжат». В этом духе высказался Бобров* на одном из собраний в присутствии самого Блока:

«Блок мертвец, его больше нет!»

Но толпа относится к нему иначе: его провожают до вокзала, обступают, забрасывают цветами. Ему кричат: «Возвращайтесь! Мы любим вас! Вы наш!»

После бурлящей, шумной московской жизни томительное затишье, молчание Петербурга, его израненная красота производят на Блока тягост-

* Большинство мемуаристов приписывают эти слова поэту Александру Филипповичу Струве. *(Примеч. пер.)*

ное впечатление. Он привез с собой немного денег, но потерял всякую надежду увидеть свою пьесу на сцене. Ею заинтересовались многие театры, но ответ везде один: надо подождать, что будет дальше.

Глава XXIV

Первые серьезные приступы смертельной болезни появились в 1918 году. Он чувствует боли в спине; когда он таскает дрова, у него болит сердце. Начиная с 1919 года в письмах к близким он жалуется на цингу и фурункулез, потом на одышку, объясняя ее болезнью сердца, но причина не только в его физическом состоянии, она глубже. Он жалуется на глухоту, хотя хорошо слышит; он говорит о другой глухоте, той, что мешает ему слушать прежде никогда не стихавшую музыку: еще в 1918 году она звучала в его стихах.

«Мне нечем дышать, я задыхаюсь. Неужели я болен?»

Его тяготят отношения с людьми, и дом его печален. Ночью он не ложится спать, а сидит в кресле, забросив все дела; днем бродит по квартире, по улицам, мужественно борясь с болезнью. Последний год был ужасен: он все видел, все понимал, и у него не осталось никаких иллюзий. Это третий год возмездия.

«Но сейчас у меня ни души, ни тела нет, я болен, как не был никогда еще: жар не прекращается, и все всегда болит. Я думал о русской санатории около Москвы, но, кажется, выздороветь можно только в настоящей. То же думает и доктор. Итак, "здравствуем и посейчас" сказать уже нельзя: слопала-таки поганая, гугнивая родимая матушка Россия, как чушка своего поросенка»*.

Мучительно ясен разговор с другом, упрекавшим его за стихи 1918 года:

«– Завидная тогда была у вас вера, завидная нетерпимость: "Все старое к черту".

– Россия?

– России не будет.

– Зачем же вы писали стихи о России?

– Я прощался в них с Россией»**.

Наступает зима 1920–1921 года. Снова нужно таскать дрова из подвала, ежедневно участ-

* Из письма к критику (имеется в виду письмо Блока к Чуковскому от 26 мая 1921 г.).

** *Княжнин В.Н.* Неопубликованная речь. В кн.: Судьба Блока, 1930. ***(Примеч. пер.)***

вовать в многословных и совершенно бесцельных прениях. Нет бумаги, чтобы издавать книги, нет декораций и костюмов, чтобы ставить спектакли. Культурная жизнь все больше зависит от людей ограниченных, посредственных, открыто ведущих кампанию, уже получившую название «борьба за снижение культуры»*.

Его состояние ухудшается, врачи говорят об эндокардите, но его нравственные страдания столь ужасны, что иногда ему кажется: он умирает не от болезни, а от тоски. Нужно срочно уезжать; Любовь Дмитриевна напрасно обивает пороги учреждений – все движется слишком медленно!

В феврале 1921 года он участвует в вечере, посвященном годовщине смерти Пушкина. Этот вечер будет проходить трижды, слишком много людей не могли попасть в зал Дома писателей. Услышав свое имя, Блок поднимается, худой, с красноватым лицом, с седеющими волосами, с тяжелым и погасшим взглядом, все в том же белом свитере, в черном пиджаке, в валенках. Он говорит, не вынимая рук из карманов. В публике есть его единомышленники, но кое-кто пришел специально, чтобы уличить его в крамоле;

* Термин ввел глава этого движения М. Левидов.

есть представители власти, чекисты и молодежь – будущие строители новой эпохи. Блок говорит:

«Любезные чиновники, которые мешали поэту испытывать гармонией сердца, навсегда сохранили за собой кличку черни... Пускай же остерегутся от худшей клички те чиновники, которые собираются направлять поэзию по каким-то собственным руслам, посягая на ее тайную свободу и препятствуя ей выполнять ее таинственное назначение...

Пушкин умер. Но "для мальчиков не умирают Позы", – сказал Шиллер. И Пушкина тоже убила вовсе не пуля Дантеса. Его убило отсутствие воздуха. С ним умирала его культура.

Пора, мой друг, пора! покоя сердце просит...

Это – предсмертные вздохи Пушкина и также – вздохи культуры пушкинской поры.

Покой и воля. Они необходимы поэту для освобождения гармонии. Но покой и волю тоже отнимают. Не внешний покой, а творческий. Не ребяческую волю, не свободу либеральничать, а творческую волю – тайную свободу. И поэт умирает, потому что дышать ему уже нечем; жизнь потеряла смысл.

Мы умираем, а искусство остается».

Так говорил Блок за полгода до смерти, и его слушатели были не только свидетелями блестящего литературного выступления, но и страшной драмы, которая разворачивалась у них на глазах. Через месяц в Большом драматическом театре объявлен вечер его поэзии. Магия его стихов покоряет публику; его слушают с замиранием сердца, ему рукоплещут, он окружен всеобщей любовью и обожанием. Мало кто из поэтов знал такой успех.

Бесстрастное лицо, глаза устремлены выше последних лож, приглушенный голос. Его просят прочесть стихи о России. «Это все – о России», – отвечает он.

Лицо его хранит отпечаток суровой красоты:

> Я и сам ведь не такой – не прежний,
> Недоступный, гордый, чистый, злой.

Он читает «Музу», «На поле Куликовом», «Стихи о Прекрасной Даме», но словно забывает о «Двенадцати», и когда просят прочесть поэму, его лицо искажает мучительная судорога.

Болезнь усиливается, врачи прекрасно понимают природу психического расстройства, с которым отчаянно борется Блок. «Я оглох», – твердит он. Он больше не слышит «музыки революции», он уже не слышит никакой музыки.

Кто-то другой, возможно, сказал бы: «Я больше не чувствую красоты, у меня иссякла вера».

В мае 1921 года он в последний раз едет в Москву; но он очень болен, ему трудно ходить и дышать, и он счастлив, когда после многочисленных ходатайств добивается разрешения взять такси, чтобы доехать до вокзала. Он почти ни с кем не видится, литературные вечера его утомляют. У него болит нога, и он вынужден ходить с палкой. Пальцы у него забинтованы. Однажды, перечитывая стихи «Как страшно мертвецу среди людей», он сказал: «Это обо мне. А я и не знал!»

Кажется, что его больше ничто не трогает, все ему безразлично, он словно все время дремлет. Однажды его находят уснувшим на бульварной скамье; в другой раз с побледневшим лицом и неподвижным взглядом, неузнаваемый, он застывает посреди комнаты. Ему с трудом удается выйти из этого сомнамбулического состояния.

Вернувшись из Москвы, он уже не выходит из комнаты. Страдания его становятся невыносимыми; он не может лечь, лежа он задыхается. Когда боль стихает, длинные худые пальцы перелистывают рукопись «Возмездия», которую он правит и мечтает закончить. Этой весной он пишет последние страницы прозы «Ни сны, ни явь».

«Мужики, которые пели, принесли из Москвы сифилис и разнесли по всем деревням. Купец, чей луг косили, вовсе спился и с пьяных глаз сам поджег сенные сараи в своей усадьбе. Дьякон нарожал незаконных детей. У Федота в избе потолок совсем провалился, а Федот его не чинит. У нас старые стали умирать, а молодые стариться. Дядюшка мой стал говорить глупости, каких никогда еще не говорил. Я тоже на следующее утро пошел рубить старую сирень.

Сирень была столетняя, дворянская: кисти цветов негустые и голубоватые, а ствол такой, что топор еле берет. Я ее всю вырубил, а за ней – березовая роща. Я срубил и рощу, а за рощей – овраг. Из оврага мне уж ничего и не видно, кроме собственного дома над головой: он теперь стоит открытый всем ветрам и бурям. Если подкопаться под него, он упадет и накроет меня собой...

Однажды, стараясь уйти от своей души, он прогуливался по самым тихим и самым чистым улицам. Однако душа упорно следовала за ним, как ни трудно было ей, потрепанной, поспевать за его молодой походкой.

Вдруг над крышей высокого дома, в серых сумерках зимнего дня, появилось лицо. Она протягивала к нему руки и говорила:

– Я давно тянусь к тебе из чистых и тихих стран неба. Едкий городской дым кутает меня в грязную шубу. Руки мне режут телеграфные провода. Перестань называть меня разными именами – у меня одно имя. Перестань искать меня там и тут – я здесь».

Боли уже не прекращаются. К нему никого не пускают, конец близок.

То лето 1921 года стало черной страницей в истории русской поэзии. Оно незабываемо для всех, переживших его. Сологубу, ожидавшему заграничной визы, отказали. От отчаяния его жена бросилась в Неву, и лишь следующей весной нашли ее тело.

Горький готовится к отъезду. Ремизов с женой, выправив наконец все документы, тоже уезжают. Белому пообещали выдать паспорт. Гумилев арестован 3 августа и в конце месяца расстрелян. Внезапно все почувствовали себя на краю бездны, стремительно поглощавшей все прекрасное, великое, дорогое, незаменимое. С необычайной остротой мы переживали и наблюдали конец целой эпохи, и зрелище это вызывало священный трепет, было исполнено щемящей тоски и зловещего смысла.

Последние дни Блока были ужасны – он кричал днем и ночью. Не приходя в сознание, он умер 7 августа 1921 года. Накануне пришел его заграничный паспорт.

В ту пору газеты не выходили, и только одно объявление в траурной рамке, приклеенное к дверям Дома писателей, возвестило о смерти поэта Александра Блока.

В день его смерти в шесть часов вечера отслужили короткую заупокойную службу по православному обряду. Нас было человек десять, собравшихся вокруг его смертного ложа. С сильно поредевшими волосами, с темной бородкой и поседевшими висками, худой, с лицом, изможденным страданием, он был неузнаваем. В комнате, где не осталось мебели, плакали Любовь Дмитриевна и Александра Андреевна.

Три дня спустя в чудесный солнечный день Петербург прощался с поэтом. Больше двухсот человек шли в похоронной процессии. Белый, Пяст и другие друзья несли на Смоленское кладбище открытый гроб. Надгробных речей не было.

У всех было ощущение, что вместе с его смертью уходит в прошлое этот город и целый мир. Молодые люди, окружившие гроб, понимали, что для них наступает новая эпоха. Как сам Блок и его современники были детьми «страшных лет России», так мы стали *детьми Александра Блока*. Через несколько месяцев уже ничто не напоминало об этой поре русской жизни. Одни уехали, других выслали, третьи были уничтожены или скрывались. Приближалась новая эра.

Скоро родится новый город с высотными домами, рабочими кварталами, огромными стадионами, парками культуры, памятниками героям революции, город, где совсем другие силы будут бороться за другие идеалы, город, которому суждено было сменить даже имя.

Оглавление

Литературно-художественное издание

Берберова Нина

БЛОК И ЕГО ВРЕМЯ

Заведующая редакцией *Е.Д. Шубина*
Выпускающий редактор *Д.З. Хасанова*
Технический редактор *Т.П. Тимошина*
Корректоры *О.Л. Вьюнник, Н.П. Власенко*
Компьютерная верстка *Е.М. Илюшиной*

ООО «Издательство Астрель»
129085, г. Москва, проезд Ольминского, д. 3а

Издание осуществлено при техническом содействии
ООО «Издательство АСТ»

Отпечатано с готовых файлов заказчика
в ОАО «Первая Образцовая типография»,
филиал «УЛЬЯНОВСКИЙ ДОМ ПЕЧАТИ»
432980, г. Ульяновск, ул. Гончарова, 14

НИНА БЕРБЕРОВА

(1901–1993)

поэт, прозаик, литературный критик
«первая парижская дама русской литературы»

Она покинула Россию в 1922 году вместе с В. Ходасевичем, не думая, что навсегда. До 1950 года жила в Париже, после переехала в США, где до конца дней преподавала в Принстоне. Ее знаменитая автобиография «Курсив мой» (1969) стала сенсацией и мировым бестселлером. А беллетризованные биографии композиторов П. Чайковского и А. Бородина, загадочной Марии Бенкендорф-Будберг признаны новым словом в этом жанре.

Собрание произведений

КУРСИВ МОЙ

ЖЕЛЕЗНАЯ ЖЕНЩИНА

ЧАЙКОВСКИЙ

БЛОК И ЕГО ВРЕМЯ

ПОВЕЛИТЕЛЬНИЦА

АККОМПАНИАТОРША

БИЯНКУРСКИЕ ПРАЗДНИКИ

БЕЗ ЗАКАТА

МЫС БУРЬ